LA FRANCE

Marie-Françoise Golinsky
Alice Vidal

GRÜND

TABLE

Première édition 1977 by
Octopus Books Limited, 59 Grosvenor Street, London W 1
© 1977 by Octopus Books Limited
I.S.B.N. 2-7000-5150-5

Pour l'édition française :
© 1977 by Gründ, Paris
Produced by Mandarin Publishers Limited
Westlands Road, Quarry Bay, Hong Kong

Photocomposition : Bussière Arts Graphiques, Paris

Printed in Hong Kong

INTRODUCTION

Si l'on ne tenait compte que de ses dimensions et du nombre de ses habitants, la France ferait figure de petit pays, mais au cours de vingt siècles d'histoire, elle a représenté beaucoup plus que cela. Parfois triomphante, parfois vaincue ou envahie, la France n'a jamais cessé d'apparaître comme une grande nation, d'être le flambeau d'une civilisation qui a toujours cherché à étendre son rayonnement et son influence.

Cette civilisation résulte d'un cadre d'une rare diversité et d'une grande harmonie : la combinaison d'un sol généreux et d'un passé riche ont fait de ce pays l'un de ceux qu'on aime le plus au monde.

Le territoire français d'aujourd'hui fut formé petit à petit. Le Traité de Verdun, en 843, qui demeura longtemps la charte des frontières européennes, partagea l'empire de Charlemagne en trois royaumes de même importance. A l'ouest, la Francie Occidentale fut délimitée par des frontières partant de la mer du Nord et atteignant le delta du Rhône, au sud. Mais ce royaume ne dura pas et, progressivement, entre le XIIᵉ et le XIIIᵉ siècle, les rois capétiens ajoutèrent à leur propre territoire (l'Ile-de-France), la Champagne, le Languedoc, la Normandie. La formation de la nation française se poursuivit et s'accomplit par des guerres, mariages et traités ou annexions et achats par les Capétiens - Valois, les Valois et les Bourbons. En 1815, les frontières de la France furent circonscrites dans leurs limites d'aujourd'hui et ne subirent qu'une modification majeure : l'adjonction de la Savoie et de Nice, en 1860. Même de nos jours, alors que la France forme un état homogène, les différences régionales subsistent que l'on perçoit aisément. Nous avons essayé de les faire apparaître dans ce livre. Mais cette tentative était insuffisante dans un pays où le relief est si varié.

A l'intérieur de ses 551.500 km², la France offre une grande diversité géographique. Les plaines, les plateaux et les collines de l'ouest, bordés par une côte de quelque 1.500 km de longueur, occupent les trois cinquièmes du territoire. Au nord, le prolongement des grandes plaines européennes du nord s'interrompt aux coteaux de Flandre et à la forêt ardennaise. Enjambant les lits de la Seine et de la Loire, ainsi qu'une partie du bassin d'Aquitaine, le vieux massif de montagne cristalline — véritable squelette de la France —

forme un gigantesque V, avec la Bretagne à l'ouest (Monts d'Arrée et Montagne Noire), les Vosges à l'est, se rejoignant au centre de la France, pour constituer l'énorme Massif Central : cet ensemble occupant un sixième de la superficie totale de la France.

Au sud-ouest, à l'est et au sud-est se dressent de hautes montagnes qui forment les frontières de la France avec l'Espagne, la Suisse et l'Italie : les Pyrénées en dents de scie et relativement sauvages; le Jura, massif et divers; les Alpes grandioses.

Le sillon rhodanien sépare les Alpes du Massif Central et débouche entre les plaines de Provence à l'est et les plissements du Languedoc à l'ouest. La géographie physique de la France nous a permis de distinguer, comme nous l'avons fait, quinze régions.

Depuis le début de son histoire, la succession des plaines, des rivières et des montagnes, ainsi qu'un climat tempéré, ont fait de la France un pays agricole important. La vitalité de ce secteur contribue grandement à la beauté des paysages. Bien que leur nombre décroisse, les agriculteurs représentent toujours le fond réel de la société française.

La terre française produit presque tout, des olives et oranges méditerranéennes au houblon et à l'orge du nord. Mais il y a un autre aspect que nous avons souligné aussi souvent que possible : le génie créatif des ménagères provinciales qui ont développé une tradition culinaire, qui peut être appelée un art : la gastronomie.

Nulle part ailleurs on ne rencontre cette union de la bonne chère et des bons vins avec le paysage, « parsemé » comme il est de splendeurs architecturales et artistiques. Il y a tellement de choses belles à voir en France qu'il est difficile de recommander ce qu'il faudrait préférer : les villes ou la campagne ? Les premières sont aussi variées que la seconde. Les villes septentrionales, grises et fraîches, diffèrent autant des localités du Midi, blanchies à la chaux et endormies sous le soleil, que les paysages qui les entourent soit au nord, soit au sud. Strasbourg en Alsace est aussi inséparable de son environnement rhénan et vosgien que Aix-en-Provence de ses platanes centenaires et de la Montagne Sainte-Victoire, si chère à Cézanne.

Pour ceux qui préfèrent un mélange subtil d'architecture et de nature, il existe

les innombrables châteaux (forteresses du Moyen Age, castels de la Renaissance ou manoirs du Second Empire, érigés un peu partout à travers le pays : Périgord, Bourgogne, Normandie, bords de la Loire) et les églises (romanes et magnifiquement sculptées, comme Poitiers; gothiques, comme les cathédrales d'Amiens ou de Reims). En plus, il subsiste des monuments très intéressants construits par les Romains, à Nîmes, Arles et Orange, qui s'ajoutent à l'héritage laissé par les premières civilisations : les mystérieux monuments mégalithiques de Bretagne et les peintures murales préhistoriques du Périgord.

Nous avons essayé enfin de décrire la France traditionnelle, avec ses cérémonies religieuses (comme le pèlerinage aux Saintes-Maries-de-la-Mer) et ses rites païens (comme le carnaval de Nice ou les différents festivals).

A travers les vignobles et le long des plages sablonneuses, des abbayes médiévales aux traditions monacales, nous avons tenté de dégager l'esprit de chacune des quinze régions que nous présentons ci-après, afin de faire revivre l'ambiance si aimable de ce pays appelé la France.

Marie-Françoise GOLINSKY

4

6

5

1. Un marché en plein air à Mulhouse.
2. Une ferme du Pays Basque.
3. Le port de Collioure.
4. Chenonceaux : le pont couvert sur le Cher.
5. Chamonix.
6. Boîtes de bouquinistes près de Notre-Dame-de-Paris.

Gardes : Vignoble près du château de Monbazillac.
Page 1 : Paysage de la campagne béarnaise.
Pages 2-3 : Belle-Ile-en-Mer (Bretagne).

NORMANDIE

Il existe peu de régions, en Europe, qui mêlent aussi intimement l'ancien et le moderne que la Normandie. C'est depuis les côtes normandes que Guillaume le Conquérant s'embarqua pour envahir l'Angleterre et ce fut là également que, quelque huit siècles plus tard, les troupes alliées débarquèrent pour libérer la France de ses oppresseurs nazis et jouèrent un rôle primordial dans la marche vers la victoire. Celui qui visite la Normandie peut, en quelques heures, prendre la mesure de deux mondes.

D'un côté, le haut Moyen Age est magnifiquement représenté par la Tapisserie de Bayeux. Les brodeuses ont créé là une sorte de bande dessinée sur la conquête de l'Angleterre par Guillaume. En cinquante-huit épisodes répartis sur une toile de quelque 70 mètres de longueur, on voit, par exemple, la préparation d'un banquet, la traversée de la Manche et les hommes (cavaliers et fantassins) au combat.

De l'autre, depuis la fin de la Deuxième Guerre mondiale, la Normandie, guérie de ses blessures, est résolument tournée vers l'avenir comme en témoignent le pont de Tancarville qui traverse l'embouchure de la Seine, le nouveau port autonome du Havre et les raffineries de pétrole de la Basse Seine.

Très rapidement après la création du Duché de Normandie, en 911, les nouveaux occupants commencèrent à développer un pays dont ils s'étaient emparés initialement par la force. Des églises, des châteaux et des abbayes aux dimensions impressionnantes (Jumièges, Boscherville, Le Bec-Hellouin) commencèrent de se dresser.

Les plus belles basiliques de style roman normand, érigées à Caen, sont l'Abbaye aux Hommes, monastère créé par Guillaume le Conquérant, et la splendide Abbaye aux Dames, dont la femme de Guillaume, la reine Mathilde, fut la fondatrice. Mais la Normandie a bien d'autres trésors à offrir au visiteur que son passé, aussi passionnant et dramatique soit-il. Ses rivages, baignés par les eaux de la Manche, offrent un saisissant contraste entre des baies de galets dominées par de hautes falaises et des plages de sable fin nichées au fond de petites anses rocheuses.

L'embouchure de l'Orne divise cette côte en deux parties distinctes; à droite, se trouvent les grandes plages élégantes lancées par les Parisiens : Deauville, qui est à

la côte normande ce que Cannes ou Monte-Carlo sont à la Côte d'Azur; Trouville et son port si actif; Houlgate et Cabourg avec leurs casinos et leurs villas enfouies dans la verdure; à gauche, se trouvent les plages familiales : Saint-Aubin, Courseulles, Grandcamp... A l'extrême sud de cette partie de la Normandie s'élève la merveille de l'Occident : le Mont-Saint-Michel.

Pour les amoureux de la mer, la Normandie est un vrai paradis. On y trouve aussi bien un port transatlantique comme Le Havre, qu'une base navale comme Cherbourg ou des ports de pêche qui jalonnent la côte de Dieppe à Granville, avec leurs foules d'armateurs, de patrons de bateaux, de marchands de poisson et de marins venant des quatre coins du monde.

L'intérieur du pays est idéal pour des vacances « paresseuses » : des pâturages à l'herbe drue où broutent des vaches grasses, des ruisseaux qui se faufilent entre des bosquets, des futaies verdoyantes, des vergers plantés de pommiers. La pomme joue en effet un grand rôle dans la vie normande. Elle sert en pâtisserie et à la fabrication du cidre, mais surtout à produire le Calvados. Pour les Normands, rien ne vaut le calvados, cette délicieuse eau-de-vie de cidre « sirotée » lentement dans une tasse qui a conservé un peu de la chaleur du café.

La Normandie est riche, comme on peut s'en rendre compte en assistant à une foire; on y voit un exceptionnel choix de chevaux, de moutons de pré-salé, de vaches et de volailles, de beurre et de crème. C'est parfois l'occasion de voir des femmes porter encore leurs coiffes traditionnelles : les plus hautes viennent de Lisieux, celles en forme de coquillage de Fécamp, celles qui ressemblent à une comète de Coutances, puis les « papillons » du Bocage, les plissées de Falaise et les grandes de la région de Caux : des mètres et des mètres de dentelle, surtout d'Alençon, d'Argentan, de Bayeux, sont nécessaires pour les confectionner. Dans la région d'Alençon se trouve le Pin, célèbre pour ses haras; fondés sous Louis XIV, par Colbert, ceux-ci abritent 100 étalons pur-sang.

La région de Lisieux est considérée comme l'une des plus fertiles de Normandie, avec les vallées d'Auge et de la Touques. C'est un centre fromager de réputation universelle; les noms suivants font plutôt penser à des fromages qu'à des bourgs ou à des villes : Camembert (le

fromage le plus exporté); Pont-l'Évêque (fabriqué depuis le XIIIe siècle); Livarot (surnommé « le colonel » à cause des cinq rayures laissées par la paille lors de sa fabrication et qui rappellent les cinq galons d'un colonel). Lisieux est mondialement connue comme la ville de sainte Thérèse, jeune carmélite qui mourut en 1897; après sa mort, des guérisons miraculeuses auraient eu lieu sur sa tombe dans le cimetière et une basilique de style byzantin fut consacrée en 1937.

L'intérieur de la Normandie comprend aussi la vallée de la Seine où se nichent Château-Gaillard et « la ville aux cent clochers », comme l'appelait Victor Hugo, Rouen. Beaucoup de liens existent entre la Normandie et la littérature française : le grand auteur classique Corneille est né à Rouen; Flaubert, Maupassant, Barbey d'Aurevilly et La Varende sont aussi des Normands. De nombreux personnages et

souvenirs évoqués par Proust, dans *A la recherche du temps perdu,* « hantent » toujours Cabourg.

Mais il y a plus encore : la campagne normande a attiré plus d'un peintre; la luminosité voilée du grand ciel qui surplombe les estuaires des fleuves et la blancheur des longues plages de sable de Deauville ou de Honfleur sont des enchantements. Ce fut au Havre que Claude Monet rencontra Eugène Boudin et le Hollandais Jongkind, à la fin du siècle dernier; ils s'essayèrent à un nouveau genre de peinture qui remplissait la toile de lumière éclatante : l'Impressionnisme était né. Quelle magnifique récompense pour la Normandie !

Rouen, capitale de la Normandie, a cruellement souffert de la dernière guerre. Mais cette « ville-musée » possède toujours des monuments gothiques et Renaissance qui comptent parmi les plus beaux : la cathédrale, l'église Saint-Maclou, l'église Saint-Ouen, la Tour Renaissance du Gros-Horloge ou le Palais de Justice et, dans la vieille ville, de nombreuses rues anciennes bordées par des maisons à colombages. *(A droite).*

Les ruines blanches de Château-Gaillard, splendidement situées au-dessus de la vallée de la Seine qui serpente ici entre de hautes falaises crayeuses, qui fut édifié par Richard Cœur de Lion, roi d'Angleterre et duc de Normandie en 1196. C'était le rocher, imprenable pensait-il, qui allait défendre son duché de Normandie des attaques des Français. Mais son successeur, Jean sans Terre, le laissa enlever par le roi de France. Le château fut le témoin de beaucoup d'actes d'héroïsme et de misères jusqu'à ce que Henri IV l'ait finalement démantelé en 1603, par précaution. *(En bas, à gauche.)*

Les vagues ont découpé la falaise de craie à
Etretat comme nulle part ailleurs sur toute la
Côte d'Albâtre, la bien nommée. L'une des
extrémités du promontoire blanc a été creusée
en une arche géante, la Porte d'Aval, que l'on a
pu comparer à un éléphant qui trempe sa trompe
dans la mer; plus loin, se profile le piton
solitaire, l'Aiguille, repaire des mouettes. Une
élégante petite ville s'étend à l'intérieur; peintres, musiciens et écrivains, dont Maupassant, y
résidèrent souvent au siècle dernier. *(Ci-dessus.)*

Honfleur, sur l'estuaire de la Seine en face du
Havre, est une petite ville ravissante : l'une des
plus charmantes de Normandie. Ses rues étroites
et tortueuses, ses maisons hautes, souvent
plaquées d'ardoise, son vieux port — de nos
jours utilisé uniquement par des bateaux de
pêche ou des yachts —, Sainte-Catherine, son
église de bois aux voûtes en forme de carène,
construite au XVe siècle par les armateurs eux-
mêmes, — forment un ensemble harmonieux.
　　Honfleur fut l'un des ports d'où partirent les
grands explorateurs aux XVIe et XVIIe siècles,
comme Champlain qui fonda Québec.
　　Beaucoup d'artistes furent sensibles au calme
pittoresque de la ville : écrivains, musiciens et
peintres y vinrent fréquemment. C'est d'ailleurs
à la Ferme Saint-Siméon, chez la « mère »
Toutain, que naquit, en quelque sorte, l'Impressionnisme. *(A gauche.)*

Cette station balnéaire de réputation internationale fut fondée par le Duc de Morny sous le Second Empire. Les fameuses « planches » — une promenade de planches de bois qui longe toute la plage de sable — est l'endroit où, durant la saison, de juillet à la fin août (exactement jusqu'au Grand Prix de Deauville), les gens célèbres se font *voir*. Entre-temps, ils auront pris part aux différentes distractions et compétitions offertes par la ville : régates, courses, rallyes, galas de toutes sortes et, bien entendu, tables de jeu du casino dont on dit que, même aujourd'hui, l'entrée est réservée à certains privilégiés seulement. *(A droite.)*

Dressé sur un rocher de 74 mètres perdu au milieu de sables immenses que la mer recouvre au rythme de marées géantes, « la merveille de l'Occident », sanctuaire chrétien depuis le VIIIe siècle où des milliers de pèlerins viennent toujours, le Mont-Saint-Michel mélange en une audacieuse harmonie architecturale les héritages artistiques de plusieurs époques.

L'archange saint Michel serait apparu à l'évêque d'Avranches, Aubert, au VIIIe siècle et lui aurait donné l'ordre de construire un monastère. Lorsqu'une source miraculeuse jaillit du rocher, la construction sur les immenses blocs de granit commença : un véritable chef-d'œuvre d'habileté. L'austère simplicité de l'église romane souterraine et la vertigineuse ascension de « La Merveille » gothique avec ses cloîtres suspendus entre ciel et terre se sont partagés un site unique.

Les puissantes marées dénudent les sables sur une distance de 14 km et la mer remonte à la vitesse d'un cheval au galop. Les masses de sables mouvants sont si profondes que des navires entiers y auraient été engloutis et qu'on parle de villes légendaires ensevelies là. (Ci-dessus.)

Ce paysage endormi, sa ferme et son église isolées dans un lac d'herbe d'un vert vif, presque incroyable, avec des haies et des pommiers, est celui que l'on retrouve dans tout le Bocage Normand.

La maison de briques au toit d'ardoise, les bâtiments de ferme à colombages longs et bas, l'église de pierre sont des bâtiments familiers en Normandie. Rien d'exaltant ici : des pâturages riches, des ruisseaux partout, des vaches tachées de noir et blanc, tout cela concourt à créer une impression de contentement paisible dans un monde clos et serein. (A gauche.)

BRETAGNE

Quel étrange charme se dégage de la Bretagne ! Orientée vers l'Ouest, la péninsule bretonne reçoit les vents vivifiants de l'océan Atlantique et les courants chauds du Gulf Stream. L'histoire de la Bretagne découle tout naturellement de cette position isolée. Elle fut le refuge continental des anciens Bretons, d'origine celte, qui s'embarquèrent pour la France pour échapper aux envahisseurs saxons de l'Angleterre.

« C'est la limite extrême, la pointe, la proue de l'Ancien Monde; là deux ennemis sont en face : la terre et la mer », a écrit Michelet. Armor signifie « pays de la mer », en breton. C'est la mer qui domine là avec ses 500 km de côtes splendides, sauvages et rocheuses par endroits, mais interrompues çà et là par de longues plages de sable blond. De la Baule, au sud, à Cancale, au nord, il existe des douzaines de plages pouvant convenir à tous les estivants ou amoureux de la mer. Les élégantes d'abord, comme Dinard, La Baule et Perros-Guirec; les familiales, comme Paramé, Trébeurden et Quiberon. En plus, la Bretagne offre ses îles multiples au large de ses côtes : Bréhat, avec ses rochers rouges et ses falaises de granit, ses mimosas et ses figuiers; Belle-Ile et sa citadelle construite par Vauban; et, pour celui qui veut s'isoler, Ouessant, la sauvage, avec tous ses rochers.

Au nord, le beau port de Saint-Malo, si bien reconstruit, est une excellente plaque tournante pour partir en excursion jusqu'aux villes aux vestiges médiévaux voisines : Vitré, Fougères et Dinan dont le château fut habité quelque temps par la duchesse Anne, qui épousa successivement les rois de France Charles VIII et Louis XII. De cette union date, en 1532, le rattachement de la Bretagne à la France. C'est à Dinan aussi que Du Guesclin, remarquable soldat et héros breton par excellence, battit les Anglais.

En Bretagne, la pêche est une industrie de premier plan, que ce soit la pêche côtière des sardines, comme à Douarnenez, ou la pêche hauturière du thon, comme à Concarneau. L'été, lorsque les filets bleus des pêcheurs sont déployés dans le port pour sécher, il y a toujours maint artiste assis sur un pliant pour peindre la scène. Pour les amateurs de poisson et de coquillages, la Bretagne est un vrai paradis. C'est là que se prépare le mieux « le homard à l'armoricaine » (avec de la crème). On y déguste aussi les délicieuses huîtres de

Belon ou de Cancale. Il existe de multiples recettes pour la morue, selon que vous l'aimez avec des crêpes et une sauce béchamel comme « à la morlaisienne »; à la sauce au beurre comme « à la cancalaise » ou au fromage comme « à la guingampaise ». Elles sont toutes délicieuses accompagnées d'un verre de vin de la région nantaise : le Muscadet.

Toutefois, pour s'imprégner de la véritable atmosphère bretonne, c'est à Quimper qu'il faut aller, capitale de l'Arcoat (l'inté-

rieur des terres). En dehors de sa cathédrale Saint-Corentin, construite du XIIIᵉ au XIXᵉ siècle, et ses maisons anciennes à poutres et pignons apparents, Quimper est une ville très attachante. C'est un des principaux centres du folklore breton. Tous les ans se tient en juillet le Grand Festival de Cornouaille et une Reine de Cornouaille est élue : c'est la jeune fille qui porte la plus jolie coiffe. On pense qu'il existe quelque mille coiffes différentes en Bretagne; les femmes bretonnes peuvent dire de quel coin de la province vient une « étrangère » juste en jetant un coup d'œil sur sa coiffe. La coiffe bigouden compte parmi les plus belles : c'est un haut bonnet de dentelle blanche et légère. A Brest également a lieu chaque année un Festival international d'art traditionnel celte (musique et danse).

A l'époque des pardons, les cortèges s'arrêtent aux nombreux calvaires qui se dressent surtout au milieu des champs ou au bord de la mer. Les plus remarquables de ces sculptures locales sont à Guimiliau, à Plougastel, Tronoën, Pleyben, Guéhenno et, surtout, Saint-Thégonnec. Les artistes qui édifièrent ces calvaires utilisèrent le matériau typique de Bretagne, du granit : c'est-à-dire la plus dure des pierres. D'ail-

les flots. Parfois, une sirène enjôle un pêcheur par ses chants : c'est la belle Dahut, et le marin qui succombe à son charme ne revient jamais. Les gens de la mer continuent d'entendre parfois le bruit des carillons des clochers qui furent submergés, il y a bien longtemps...

On raconte aussi que le roi Arthur, qui vivait à la fois en Bretagne et en Angleterre, institua la Table Ronde d'où ses chevaliers partirent pour la Quête du Graal. Ceci se passait dans la forêt de Brocéliande, aujourd'hui celle de Paimpont, qui s'étend non loin de Rennes. Cette dernière ville est l'une des plus importantes de Bretagne : son Palais de justice fut, avant la Révolution, le siège du Parlement de Bretagne. On

narre également les histoires de Merlin l'Enchanteur et de la fée Viviane qui l'envoûta et le tint captif dans une prison d'air. On raconte enfin la magnifique histoire d'amour de Tristan, ce prince breton, et d'Iseut. Dans beaucoup d'endroits on voit des dolmens et des menhirs. A Carnac, ces « alignements » couvrent plusieurs kilomètres.

La province tout entière frémit à ces anciennes croyances. La nuit, les loups-garous, les saints, les gnomes et les sorcières dansent tous ensemble dans les cimetières et les forêts, en Armor et en Arcoat, à l'intérieur des maisons et des têtes dodelinantes des vieilles Bretonnes, sous leurs légères coiffes de dentelle...

leurs les légendes abondent au sujet de cette extraordinaire accumulation de rochers, souvent recouverts de varech, le long des côtes bretonnes. La plus connue est celle d'Ys : selon une vieille tradition celte, Ys était une ville, située dans l'actuelle baie de Douarnenez et protégée par une énorme digue dont la clef en or se trouvait en permanence gardée par le roi. La princesse Dahut vola la clef afin de rencontrer son amant : Ys fut submergée par la mer et les habitants disparurent dans

La côte bretonne, l'Armor, nom donné au « pays proche de la mer », est remarquablement découpée. La ligne de cette côte, hérissée d'une masse d'îles, îlots, récifs et rochers qui parsèment la brillante surface de l'eau, est due à l'érosion par la mer mais les échancrures profondes sont le résultat des bouleversements terrestres il y a des millions d'années : la mer envahit alors les vallées pour former de nombreuses anses si caractéristiques.

La Bretagne est un pays de grands vents et de larges cieux avec une mer agitée ou, au contraire, un pays de brouillards et de crachin au

charme mélancolique. L'on y voit aussi des maisons de granit, blanchies à la chaux, couvertes d'ardoise ou de chaume, se blottissant parmi les buissons d'hortensias ou de fuchsias qui poussent en pleine terre ainsi que les mimosas, les lauriers et les figuiers grâce à un climat spécialement doux.

Les croix de pierre, simples ou ornées, sont très nombreuses. Elles sont les ancêtres des calvaires, souvent des chefs-d'œuvre de sculpture qui illustrent les épisodes de la Passion du Christ. *(Ci-dessus.)*

L'île rocheuse d'Ouessant, à l'extrême pointe nord-ouest de la Bretagne, bénéficie d'un climat très doux grâce à la proximité du Gulf Stream; en janvier et février il n'est pas rare que ce soit l'un des lieux les plus tempérés de toute la France. Néanmoins c'est un endroit relativement sauvage; les courants et les rochers y sont extrêmement dangereux, surtout au début de l'hiver lorsque brouillards et tempêtes se mettent de la partie et des naufrages y sont encore à déplorer.

Le puissant phare de Creac'h marque le commencement de la Manche.

Ce sont les femmes qui cultivent les terres de l'île où paissent aussi des moutons de pré-salé, pendant que les hommes, marins ou pêcheurs, sont en mer. *(En haut.)*

Carnac est le centre d'une région unique où abondent les monuments mégalithiques de l'âge de pierre tardif.

Plusieurs milliers de pierres levées se voient aux alentours et les fameuses rangées de menhirs (*men* = pierre, *hir* = long), quelquefois de vingt mètres de haut, sont probablement associées au culte du soleil et à des cultes funéraires mais leur signification exacte n'est toujours pas établie. Ce qui est certain en revanche, c'est que, pendant des siècles, les menhirs furent liés à la vie mystique de la Bretagne : les Romains adoptèrent certains menhirs pour leurs rites en y gravant des images de leurs dieux et les chrétiens sanctifièrent un grand nombre d'entre eux qui étaient encore vénérés par la population : ils les couronnèrent d'une croix ou y gravèrent des symboles christiques. Les menhirs ainsi christianisés furent probablement les ancêtres des nombreuses croix de granit qui se dressent dans la campagne bretonne. *(Ci-dessous.)*

Joyeux festivals religieux, les Pardons, sont célébrés dans toute la Bretagne en l'honneur de la Vierge, de sainte Anne et des saints patrons locaux. L'église traditionnellement accordait des indulgences le jour de la fête du saint.

Les Pardons commencent par une messe suivie d'un autre service en plein air. Une procession de prêtres et de villageois portant des cierges, des bannières et l'autel du saint surmonté de son effigie en bois polychrome, circule dans les rues en chantant des cantiques. C'est l'occasion pour les costumes nationaux de sortir des armoires : les femmes en robe noire et col de dentelle, portent les coiffes traditionnelles, basses ou hautes selon les villages; les hommes, en chapeau à rubans, jouent du biniou. Plus tard ce sera la fête profane, et danses et concours de lutte se succéderont, accompagnés de crêpes et de cidre. *(A droite.)*

La Pointe du Raz que Ptolémée, astronome et géographe grec, avait déjà décrite comme « la péninsule qui contemple éternellement l'océan », est le cap le plus imposant de la Bretagne et peut-être de la France : une échine de granit surgit des vagues sauvages mouchetées de rochers. Un chapelet d'îlots s'étire de la pointe jusqu'à la terre plate de l'île de Sein : dernier vestige d'une presqu'île mangée par la mer. Édifié sur un îlot rocheux, au large de l'île de Sein, le phare d'Ar-men marque l'une des pointes extrêmes de la Bretagne et du continent européen.

La mer, en ce lieu, jouit d'une triste réputation légendaire. Le Raz de Sein, où les courants sont si forts qu'ils ressemblent à des tourbillons, et la fameuse Baie des Trépassés, sont responsables encore aujourd'hui de pertes de vies humaines.

Il faut voir la Pointe un jour d'orage, en novembre, lorsque les nuages bas courent le long de l'eau et que les vagues énormes, que rien n'arrête sur des milliers de kilomètres, se brisent en des montagnes d'écume cent mètres plus bas. *(A droite.)*

La mer forme une part essentielle de l'économie bretonne et les Bretons eux-mêmes, dit le proverbe, « sont nés avec de l'eau de la mer pour sang ». Ils pêchent un tiers du poisson mangé dans toute la France.

La péninsule est riche en petits ports d'où quelques bateaux de pêche seulement partent chaque jour.

Tous les bateaux sont maintenant à moteur mais les sardiniers ont conservé leurs filets bleus qu'il est de coutume de suspendre aux mâts comme des voiles. Les méthodes de pêche se sont modernisées mais les traditions de cette industrie restent inchangées.

On distingue la pêche côtière où les bateaux retournent au port avec la marée et la pêche hauturière pour le thon, les sardines ou les crustacés : le plus souvent au large des côtes de Mauritanie. Les sardines sont vendues sur place et environ 80 % de la pêche est envoyé aux usines de conserves. En hiver, lorsque la saison de la pêche à la sardine est finie, les pêcheurs cherchent des langoustes et des crabes dans les eaux côtières. Saint-Guénolé est l'un des centres de la pêche à la sardine avec Douarnenez, Concarneau et Quiberon. *(En haut.)*

La ville des Corsaires, presque totalement anéantie pendant la dernière guerre, a été reconstruite pierre à pierre exactement comme elle était : une ville étonnante, admirablement située à l'embouchure de la Rance sur une presqu'île entourée de fortifications qui enserrent d'imposantes maisons de granit.

Ces habitations des armateurs aux toitures remarquables couronnées de hautes cheminées s'élèvent au-dessus des remparts. Les marins malouins se retrouvaient sur toutes les mers à bord des « terre-neuvas » qui naviguaient jusqu'à Terre-Neuve et en Amérique du Nord pour aller pêcher la morue. Aujourd'hui, Saint-Malo maintient encore une flotte spécialisée pour la pêche à la morue. Chaque année, au mois de février, la bénédiction des bateaux se célèbre traditionnellement au cours du « Pardon des Terre-Neuvas ». Les souvenirs de Duguay-Trouin et Surcouf, les célèbres corsaires des XVIIe et XIXe siècles, sont toujours vivaces dans la ville. Autre malouin célèbre, l'écrivain Chateaubriand, auteur des *Mémoires d'Outre-Tombe*. Son tombeau est face à la mer, sur l'îlot désolé du Grand-Bé, relié à la ville par une digue. *(Ci-dessous.)*

VAL DE LOIRE

Le climat est doux. Toute chose est dorée par le soleil. La Loire indolente déroule son ruban bleu au milieu d'un paysage ondulé. Tumultueuse pendant la saison des pluies, mais ensablée pendant l'été, la Loire semble un cours d'eau paisible, un miroir à châteaux. La majorité de ces derniers furent d'abord des forteresses médiévales, mais la Renaissance arrivant ils se transformèrent en élégants et magnifiques châteaux : ceux que nous admirons encore aujourd'hui.

Aux XIIᵉ et XIIIᵉ siècles, cette région avait des liens étroits avec l'Angleterre et était la propriété des Plantagenêts, mais au début du XIIIᵉ siècle, Philippe Auguste réussit à la reconquérir. Au XVᵉ siècle, lorsque les Anglais chassèrent Charles VII de Paris, celui-ci passa la plus grande partie de son exil à Chinon, Tours et dans les châteaux des alentours. C'est de cette époque que date son amour de la Touraine, passion qu'il transmit à ses successeurs pendant les deux siècles suivants. La présence fréquente du roi de France dans cette région obligea les nobles à suivre l'illustre exemple et à résider dans les environs. C'est pourquoi on trouve en Val de Loire d'aussi nombreux châteaux (plus de cent), regrou-

pés principalement sur les berges de la Loire et de ses affluents.

A Sully-sur-Loire, se situe — géographiquement parlant — le premier de ces célèbres châteaux. Les tours un peu sévères de Sully dominent un ravissant bras du fleuve, animé en été par des jeux et cris joyeux. Dans ce vallon, au sud-est d'Orléans, se trouvent deux célèbres édifices religieux, l'abbaye romane de St-Benoît-sur-Loire, qui renferme les cendres de saint Benoît, et la belle et émouvante église de Germigny-des-Prés dont les fondations remontent au IXᵉ siècle.

Orléans se trouve au carrefour d'un axe nord-sud et du fleuve. Depuis l'épopée de Jeanne d'Arc jusqu'à la dernière guerre, cette situation a eu une importance stratégique qui a souvent valu à la ville de subir occupations et destructions. Les Orléanais célèbrent toujours la mémoire de Jeanne d'Arc : chaque année, en mai, des cortèges et des réjouissances commémorent la libération de la ville par la Pucelle, en 1429.

Au sud, la route conduit en Sologne, marécageuse et giboyeuse, avec, au nord, les célèbres pépinières d'Olivet. De tout temps, la Sologne a été le paradis des chasseurs. Après Meung et Beaugency, dont les vieilles murailles ont un charme indéniable, commence véritablement la région la plus riche en beaux châteaux, au passé chargé d'histoire.

Chambord, l'un des joyaux architecturaux du Val de Loire, marque le début de ces demeures Renaissance. Son toit est en fait une vaste terrasse utilisée par les dames de la Cour comme promenoir pour suivre les chasses et les tournois. Citons l'extraordinaire escalier à double « révolution » si habilement construit que deux personnes, dont l'une descend et l'autre monte, peuvent l'emprunter sans se rencontrer. Imaginons donc François Iᵉʳ recevant un hôte avec toute la pompe en usage : les flammes jaillissant dans la vaste cheminée, les torches crépitantes, les tables étincelant de leurs chandeliers et de leurs cristaux, les mets délicats et les boissons choisies. Depuis la création des spectacles *son et lumière* (qui naquirent en 1952 à Chambord), la vie d'autrefois des châteaux « ressuscite » dans la nuit.

Après Chambord, deux châteaux — très différents l'un de l'autre — se situent dans la même région : Cheverny et Blois. Le premier est une grande demeure seigneu-

riale, construite dans le premier tiers du XVIIᵉ siècle, d'une noblesse de proportions indiscutable. Il comporte une décoration intérieure splendide et, surtout, il conserve une âme du fait qu'il est habité. Le second, Blois, est une « mosaïque » géniale, une synthèse de trois époques différentes de l'architecture française : une façade de la fin du Moyen Age; une cour intérieure flanquée à droite de la loggia de François Iᵉʳ et de son superbe escalier; enfin, une aile magnifique de style classique, édifiée pour Gaston d'Orléans, frère de Louis XIII. Le souvenir historique de Blois le plus célèbre est le meurtre du duc de Guise, qui menaçait le trône, sur l'ordre d'Henri III.

Le château d'Amboise, lui aussi, est peuplé de souvenirs tragiques : la mort de Charles VIII qui heurta de la tête le haut d'une porte; la répression terrible de la fameuse conspiration d'Amboise sous François II dont la femme, Marie Stuart, apportait seule un peu de joie à l'intérieur des murs épais de cet édifice Renaissance.

En revanche, le château de Chenonceaux évoque des souvenirs plus plaisants : il est le témoignage de l'apogée de la gloire de

Diane de Poitiers. La ravissante et intelligente maîtresse d'Henri II commença la construction du célèbre pont sur le Cher. A partir de Tours, capitale de la Touraine, les châteaux ne sont plus construits, en effet, sur la Loire, mais sur ses affluents. Comme le charmant Chenonceaux, Azay-le-Rideau est partiellement bâti sur le bord même d'une rivière : l'Indre; la parfaite harmonie de la pierre blanche et des toits bleus se reflète dans les eaux vertes de cet affluent de la Loire. Édifié au bord de l'Indre également, le château d'Ussé, dont la blancheur se devine au milieu d'un feuillage sombre : il a inspiré, peut-être, le décor de la *Belle au Bois dormant* à Perrault.

Près de là se trouve Chinon où, il y a plus de cinq siècles, Jeanne la Pucelle reconnut le futur roi Charles VII au milieu de ses courtisans et lui adressa ces simples mots : « Gentil Dauphin, je suis venue pour vous aider à chasser les Anglais hors de France ». De Chinon à Bourges, capitale du Berry où se trouve la somptueuse demeure de Jacques Cœur, grand argentier de ce roi, en passant par Loches et Valençay, la région tout entière a gardé témoignage des amours de Charles VII avec la belle Agnès Sorel.

Val de Loire... Région bénie où Cupidon, à une époque, gouvernait les rois de France, où la civilisation française est sans doute plus magnifiquement illustrée qu'ailleurs à cause de ces harmonieuses constructions, érigées en honneur à l'amour, en honneur à la vie.

L'Aile Renaissance du château, construite par François Ier pour sa femme Claude de France, annonçait un style nouveau dans le domaine de l'architecture où le génie français, influencé et stimulé par l'art italien, atteignit son apogée. Le fameux escalier du Château de Blois allait être souvent copié : finis les escaliers étroits en colimaçon, remplacés par une spacieuse cage octogonale à tribunes, ouverte sur trois côtés et décorée d'une profusion d'arabesques de pierre et de superbes statues. *(A gauche.)*

Au sud de la Loire, à Orléans, commence la mélancolique plaine de Sologne : les 5 000 kilomètres carrés de cette région sablonneuse plantée de maigres forêts et de buissons, trouée de lacs, de marécages et de marées est un paradis pour pêcheurs et chasseurs qui y trouvent en abondance carpes, cerfs et daims, lièvres, lapins et oiseaux de toutes sortes. Aujourd'hui une grande partie de la plaine a été replantée de pins corses qui lui ont donné un renouveau de vie, totalement inconnu au temps des Comtes de Blois qui construisirent là le simple logis de chasse qui devait devenir le fantastique château de Chambord.

En automne, lorsque les couleurs flamboient et qu'un soleil pâle tente vainement de percer les brouillards qui s'élèvent des eaux, la Sologne possède un charme mystérieux qui « envoûte » le voyageur. *(Ci-dessus.)*

Il faut voir absolument les splendides démonstrations de dressage et de monte données par le Cadre Noir à la fin de juillet au moment du Carrousel qui attire, d'ailleurs, des foules nombreuses.

La célèbre école royale de cavalerie fut créée en 1764 par Choiseul, ministre de Louis XV, et fut transférée à Saumur sous la Restauration. Elle prit ensuite le nom de : École nationale de cavalerie. *(A droite.)*

L'abbaye fut fondée en 1101 et devint la basilique favorite des Plantagenêts, rois angevins. Henri II, Richard Cœur de Lion et sa mère Aliénor d'Aquitaine y sont enterrés.

Pendant près de six cents ans, Fontevrault qui se composait d'un couvent pour hommes et d'un autre pour femmes, mais tous deux sous la direction d'une abbesse — qui était souvent de sang royal —, fut unique de son genre dans toute la chrétienté. Elle devint le refuge de reines répudiées et de filles de nobles familles qui prenaient le voile, volontairement ou non. Les trois plus jeunes filles de Louis XV y furent élevées.

C'était une communauté immensément riche dont la complexité était celle d'une petite ville. Aujourd'hui ne restent que l'église (avec les pierres tombales royales), la salle du chapitre, le réfectoire et le cloître et, bien sûr, les fameuses cuisines romanes de la Tour d'Evrault : cette curieuse structure pyramidale, qui ressemble à un four de potier avec sa lanterne d'où se répand toute la lumière, est surmontée de vingt cheminées, toutes groupées, et atteste d'un grand sens pratique uni à un désir d'originalité et d'élégance parfaitement réussies. *(En haut, à gauche.)*

Une Loire paresseuse, toute bleue entre des bancs de sable dorés, dessine de larges méandres entre des bords de craie tendre : tout près les bancs de sable irréguliers, mouvants, dangereux pour le baigneur en quête de fraîcheur, plus loin les longues rangées de peupliers et, îlot après îlot, tout au long d'un cours charmant, aux simples lignes tranquilles baignées d'une lumière subtile qui mêle de vastes ciels pâles à de vastes étendues d'eau lisse. La rivière lèche les sables alluviaux qu'elle a elle-même apportés, murmurant au pêcheur paisible que sa patience sera bientôt récompensée.

Les chenaux secondaires aux reflets calmes et doux, les pentes ensoleillées couvertes de prairies et de vignobles, parsemées de villages riants, font de ce paysage tout de modération et de paix le vrai « Jardin de la France ». *(A droite.)*

C'est de tous les châteaux de la Loire, « la jeune fille la plus parfaite, une fée de lumière », une demeure éminemment féminine; en 1547, Henri II donna le château à sa maîtresse l'« éternellement belle » Diane de Poitiers, « le joyau d'une cour amoureuse de la beauté », comme l'avait dit François Iᵉʳ. Chenonceaux est ancré comme une nef au milieu du Cher et entouré de vastes prairies et d'un jardin splendide qui sertissent le palais dans un écrin vert. Ce fut Diane qui fit construire le large pont sur le Cher et le jardin à l'italienne. Quand le roi mourut, sa femme, Catherine de Médicis, voulut sa revanche : elle obligea Diane à lui rendre Chenonceaux en échange du château-forteresse de Chaumont. Catherine éleva la galerie à deux étages sur le pont : ce qui donne au château le ravissant aspect que nous lui connaissons aujourd'hui. *(Pages précédentes.)*

Cette petite ville qui grimpe sur les bords de l'Indrois — branche de l'Indre, affluent de la Loire — et qui blottit ses toits d'ardoise pentus en une sorte d'amphithéâtre en-dessous du château, est une perle du Val de Loire. Montrésor, qui doit son origine à l'un des fameux Comtes d'Anjou, Foulques Nerra (Foulques le Noir) qui y habita fréquemment, se reflète dans les eaux de la charmante vallée qu'il domine. Le château est toujours habité et évoque le charme d'une demeure qui abrita sans interruption plusieurs familles nobles à qui il appartint successivement. *(Ci-dessus.)*

« Un palais magique volé au pays du soleil et transporté au pays des brouillards et des amours princières », c'est ainsi qu'Alfred de Vigny, lui-même né en Touraine, décrivait Chambord.

François Ier, poussé par son amour de la chasse, fut le créateur de cette fantastique folie de quelque 440 pièces, 12 escaliers, avec des écuries pour 1 200 chevaux et des toits décorés de 365 cheminées, coupoles, flèches, pignons, tourelles et lanternes, qui donnent au château une silhouette « orientale » inspirée, dit-on, par des dessins de Léonard de Vinci.

La vie de la Cour était tout à fait adaptée aux bâtiments.

Les plus beaux yeux du royaume pouvaient suivre des vastes terrasses la chasse royale ou les tournois; quant à l'escalier du Lys (probablement construit lui aussi suivant les plans de Léonard de Vinci qui vécut, près d'Amboise, au Clos Lucé), il permettait à deux personnes de le gravir en même temps sans jamais se rencontrer. *(A gauche.)*

POITOU ET SAINTONGE

La région formée par les anciennes provinces du Poitou et de Saintonge est un couloir naturel entre le Massif Central, d'un côté, et les marais de la côte, de l'autre. Aujourd'hui, routes et voies ferrées suivent la trace des pèlerins allant vers Saint-Jacques-de-Compostelle. Ils ont bâti, sur leur route, vers le lieu saint, plus d'une merveilleuse cathédrale ou admirable église.

« Bataille du Nord et du Midi », a écrit le grand historien Michelet. Bataille entre deux civilisations; bataille entre deux religions; bataille entre deux idéaux. Des armées ennemies se sont affrontées aux marges du Poitou depuis les temps immémoriaux. Clovis battit les Wisigoths à Vouillé, en 507. Charles Martel arrêta les Arabes à Poitiers, en 732. Saint Louis repoussa les Anglais à Taillebourg et à Saintes, en 1242.

Il y a moins de deux siècles, au cours de la Révolution française, la Vendée, extrémité occidentale du Poitou, fut le centre d'une formidable insurrection. Catholique ardente et royaliste, la Vendée ne pouvait imaginer le passage à une autre forme de religion ou de gouvernement. La constitution civile du clergé, la conscription et l'exécution du roi Louis XVI, en 1793, poussa les Vendéens à prendre les armes. En peu de jours, les cloches de tous les villages appelèrent les paysans fanatiques à se soulever. Au cri traditionnel de la chouette, des forces mystérieuses se réunissaient dans les sous-bois, la nuit venue, et infligèrent de cruelles pertes aux armées républicaines. Les Vendéens, après avoir remporté des victoires à Fontenay, Cholet et Saumur, furent militairement écrasés au Mans et à Savenay fin 1793. Mais ce ne fut qu'en 1795 que le général Hoche pacifia définitivement la Vendée. Sous le règne de Napoléon Ier, les Vendéens comptèrent parmi les sujets les plus loyaux du nouveau régime.

Le nom de Poitou a la même origine que celui de Poitiers. Cette ville est mentionnée dans tous les livres d'histoire; une fameuse et cruelle bataille y eut lieu : durant la Guerre de Cent Ans, le Prince Noir battit le roi de France en 1356. Le champ de bataille se trouvait sur une colline surplombant les marécages et les vignes. Les archers anglais déployèrent là leur habileté légendaire et purent s'emparer de la ville de Poitiers, alors capitale du duché d'Aquitaine, qui s'étendant de la Loire aux Pyrénées était un ancien fief des Plantagenêts.

D'un point de vue historique et artistique, Poitiers a peu de rivales. Son extraordinaire baptistère Saint-Jean est l'un des plus vénérables monuments de la chrétienté existant au monde : du IVe au VIIe siècle, la piscine octogonale du baptistère fut employée pour les baptêmes par immersion.

Mais, par-dessus tout, Poitiers possède un des plus parfaits exemples d'églises romanes de France : Notre-Dame-la-Grande. Construite au XIIe siècle, l'église est un édifice sombre et massif, dont la magnifique façade se compose d'un imposant portail triple et de deux rangées d'arcades surmontées d'un curieux couronnement de forme triangulaire, tandis que de chaque côté se trouve un groupe de colonnes, couronnées d'une tour en forme de pomme de pin. L'ensemble de l'église est orné de statues et de bas-reliefs qui fascinent par leur caractère et leur variété.

L'ouest de la France est riche en églises romanes dont les façades sont des joyaux de pierre qui font l'admiration du voyageur le plus indifférent. Le Poitou peut se vanter d'en posséder quelques-unes parmi les plus remarquables, en particulier Parthenay et Saint-Savin-sur-Gartempe; cette dernière église est intéressante à cause du clocher très haut et très travaillé de son abbaye, du groupe circulaire de colonnes romanes de l'abside et, enfin, d'une remarquable série de grandes fresques des XIIe-XIIIe siècles, représentant l'Apocalypse, la Genèse, l'Exode, et considérées parmi les plus belles au monde. Vraisemblablement, la majorité des églises du Poitou étaient couvertes, auparavant, de décorations murales.

Au milieu du Poitou se trouve Niort, lieu de naissance de Mme de Maintenon, favorite puis épouse morganatique de Louis XIV, et ville où se tient le marché des produits de la « Venise verte ». Celle-ci est une région de canards sauvages et de gibier d'eau, d'aulnes, de saules et de peupliers, de marécages; ancienne terre de légendes comme celle de la fée Mélusine ou des loups-garous. La côte du Poitou est assez monotone, mais la belle plage des Sables-d'Olonne est un port de pêche toujours actif.

Au cours de fêtes et cérémonies traditionnelles, les femmes du pays portent encore leurs sabots, leurs courtes jupes plissées et noires, leurs corsages bariolés et leurs coiffes ailées nommées « papillons ». Ce fut aux Sables-d'Olonne que des baigneuses, trop prudes pour s'exhiber sur la plage, vers 1900, utilisèrent des cabines roulantes tirées par des chevaux qui les conduisaient à la mer.

Au sud des Sables-d'Olonne, La Rochelle, port désigné par les Anglais sous le nom de « la Ville blanche », à cause du reflet des lumières sur les sables et les rochers, connut une prospérité incomparable parmi les villes françaises, après la découverte de l'Amérique. Mais le protestantisme austère de ses habitants les détourna de leurs préoccupations commerciales et les incita à participer aux guerres de religion : le siège de la ville par Riche-

lieu, en 1627-28; la révocation de l'Édit de Nantes, en 1685; puis, un siècle plus tard, la cession du Canada à l'Angleterre mirent un terme à la richesse de la ville. Aujourd'hui, La Rochelle est encore une cité à vocation maritime. Au sud de Rochefort se trouve Marennes : un nom très évocateur pour le gourmet qui l'associe immédiatement à une sorte d'huître plate succulente. Royan, ville entièrement nouvelle et plage très fréquentée, est célèbre aussi à cause de ses sardines : les royans. Enfin, pour celui qui aime la bonne table, la Saintonge (dont la capitale Saintes conserve d'importants témoignages d'architecture romane) est un pays béni : n'est-ce pas la région du cognac ? En parcourant Cognac, on peut être surpris de ne pas trouver toujours une

douce ville endormie sous le soleil, mais au contraire une agglomération parfois grise : ceci est dû à une moisissure causée par les vapeurs d'alcool. • Dans cette localité se trouvent les chais des principaux producteurs de cognac. La route entre Cognac et Angoulême (dont la cathédrale de style roman est presque aussi belle que Notre-Dame-la-Grande à Poitiers) est assez plate, mais des vignes s'y étendent à l'infini…

La Rochelle est de toute la côte, entre Nantes et Bordeaux, une des villes parmi les plus intéressantes. Étroitement liée à l'histoire de l'Angleterre, grand centre protestant et donc au cœur des guerres de religion du XVIᵉ siècle, la ville dut son essor principalement au commerce avec le Canada et les Antilles : de vastes quantités d'épices, de sucre de canne, de café, de vanille et

de bois durs précieux étaient déchargées le long de ses quais. Aujourd'hui le port n'abrite plus que des bateaux de pêche et de plaisance; la course Plymouth-La Rochelle attire les plus grands amateurs de voile.

Le Vieux Port est encadré par les trois grosses tours des XIVᵉ et XVᵉ siècles qui en gardent l'entrée. Autrefois une chaîne était tendue entre la Tour de La Chaîne et la Tour St-Nicolas. La plus haute tour, celle de La Lanterne, servait de phare.

Il est fort agréable de se promener dans la vieille ville en s'abritant sous les arcades et en admirant les maisons anciennes en bois sculpté, protégées par des panneaux d'ardoise ou les maisons Renaissance aux gargouilles fantastiques. Dans l'ancien quartier aristocratique, des hôtels dressent leurs solennelles façades du XVIIIᵉ siècle derrière de hauts murs couronnés de balustrades. *(A gauche.)*

Aulnay, une halte sur la route des pèlerins se dirigeant vers Saint-Jacques-de-Compostelle, est le chef-d'œuvre incontesté du XIIᵉ siècle en Saintonge, province très riche en églises romanes.

Lorsque l'église apparaît entre les cyprès de son cimetière, le visiteur est d'abord frappé par l'harmonie parfaite des volumes; lorsqu'il s'approche, la richesse, la variété et la grâce des sculptures l'enchantent. A l'intérieur il y a un chapiteau célèbre, orné de trois éléphants, animaux si étonnants dans cette partie du monde que l'artiste avait dû inscrire en latin l'explication : *hi sunt elephantes*. Mais ce n'est pas seulement la richesse de son décor qui fait d'Aulnay un endroit privilégié, mais aussi l'atmosphère de pureté monacale qui s'en dégage et qui accompagne le voyageur longtemps après que l'église a disparu de sa vision. *(A gauche, page 30.)*

Les vignobles de ces terres plates, la Champagne de l'Ouest, conquises sur la mer à une date relativement récente, ont été cultivés dès l'Antiquité; mais c'est seulement vers la fin du XVIIᵉ siècle que cette prestigieuse eau-de-vie de raisin fut distillée pour donner plus tard la *Fine* ou *Grande Champagne* ou les *V.S.O.P.* (Very Superior Old Pale). Les cognacs, à l'origine, furent expédiés surtout en Angleterre et en Hollande où ils étaient connus sous le nom de *brandewijn* (burnt wine, vin brûlé) qui devint rapidement *brandy* : appellation courante du cognac dans les pays anglo-saxons.

Le cognac est le produit de deux distillations successives subtiles dans des alambics et d'un minimum de cinq ans de vieillissement dans des fûts de chêne du Limousin où il acquiert son parfum velouté et sa couleur ambrée.

Rien que des vignobles dans ce pays plat, ce pourrait être monotone; pourtant ce paysage baigné de la célèbre lumière douce des Charentes et « ponctué » d'églises romanes est un plaisir pour l'œil et pour l'imagination de celui qui sait apprécier la perfection que l'homme a su apporter à un pays, à son architecture et à ses produits. *(Ci-dessus.)*

L'église Sainte-Radegonde, un joyau roman du XIIᵉ siècle est étrangement émouvante dans son isolement : perchée au bord du roc qui surgit de la Gironde, elle est attaquée de trois côtés par les eaux de l'estuaire et elle se serait d'ailleurs probablement effondrée depuis longtemps si la falaise n'avait pas été renforcée et protégée contre l'action de la mer.

Le village de Talmont lui-même est plein de charme : ses rues fleuries de roses trémières sont bordées par des maisons gris pâle, aux jolies proportions et aux toits plats typiques de la région. *(A gauche.)*

Les huîtres sont l'une des gloires de cette côte. Les huîtres vertes et grasses, les Marennes, du nom de la petite ville côtière, sont aussi élevées ici.

Les vastes marais salants exploités pour leur sel du XIᵉ au XVIIIᵉ siècle, ont maintenant été asséchés en riches prés salés ou transformés en parcs à huîtres, où les huîtres dites de « claires » acquièrent leur couleur et leur goût délicat grâce à la présence d'une algue microscopique. La production annuelle, uniquement pour cette région, s'élève à six ou sept millions d'huîtres, sauf si elles ont subi des dommages provoqués par les tempêtes, le gel ou, aujourd'hui, la pollution ! *(Au-dessus.)*

Le mystérieux Marais Mouillé, au sud de la Loire, se trouve à la pointe extrême de la Vendée. Une langue de terres marécageuses, abandonnée par la mer dans l'ancien Golfe du Poitou, sillonnée de canaux et de fossés, s'étend sur des milliers d'hectares inondés chaque année. C'est une région mi-terrienne, mi-aquatique qui se cache sous des voûtes d'épais feuillages. Les mouvements sont lents dans la « Venise verte » et ne troublent qu'à peine l'impressionnant silence et le calme de cet étrange paysage. Les barques demeurent souvent le seul moyen de transport pour bêtes, récoltes et gens. Les « huttiers », les habitants qui séjournent dans des huttes construites sur les digues, manœuvrent avec une adresse surprenante une flottille de très nombreuses « nioles » pointues et « plattes » carrées. Les nénuphars accrochent les rayons du soleil qui filtrent au travers des frondaisons et baignent le Marais d'une lumière verte, presque mystique. *(A droite.)*

AUVERGNE ET LIMOUSIN

Une terre de volcans éteints et de dépôts de lave au cœur de la France, voilà comment l'on peut définir le Massif Central. L'Auvergne et le Limousin sont des régions au rude climat; « Les vents sont en perpétuel conflit, ils s'affrontent continuellement; le temps n'est jamais d'accord avec lui-même », dit un proverbe local. Bien que cette contrée marque la transition avec le sud, elle n'a pas le passé prestigieux du Languedoc.

C'est vrai que les grands chemins de l'histoire n'ont pas toujours traversé les régions du Massif Central. Plus encore, les touristes ont longtemps hésité avant de s'aventurer dans ces régions dites sauvages et les enfants du pays sont même partis. L'Auvergne et le Limousin seraient-ils donc sans intérêt ? Nullement, mais ce sont des régions à découvrir.

Pourtant le grand héros de l'histoire auvergnate fut Vercingétorix, ce chef gaulois qui s'opposa à l'invasion des Romains. Il défendit avec succès la capitale des Arvernes, Gergovie, et défit même les légions romaines de Jules César, mais dut capituler peu de temps après. Des siècles plus tard, c'est Clermont-Ferrand qui devint la capitale de la province. Ultérieurement, la ville crût rapidement en taille et en importance, grâce au vaste empire de Michelin. Ce fut une femme du pays, la nièce de l'Écossais Mackintosh, qui découvrit la possibilité de dissoudre du caoutchouc dans de la benzine; elle façonna des balles qui rebondissaient bien pour amuser ses enfants. L'idée prit : une petite usine s'installa; elle fut rachetée par « les rois du pneumatique », les frères Michelin, en 1886. Aujourd'hui, Clermont-Ferrand est une cité très industrieuse, mais conserve son attrait touristique : sa cathédrale gothique et Notre-Dame-du-Port, une église romane du XIᵉ siècle, dont la crypte renferme une Vierge noire qui est l'objet de la vénération des Auvergnats. L'air très pur de la région de Clermont-Ferrand est tonifiant. En outre, les couches volcaniques du sous-sol amènent à la surface une grande variété de sources chaudes aux vertus curatives. Ces deux avantages combinés font du nord de l'Auvergne la première région de France pour les stations thermales. Dans un rayon de 30 à 40 km autour de Clermont-Ferrand, on trouve successivement Royat pour les maladies de cœur, le Mont-Dore pour les poumons et La Bour-

boule pour la gorge. Un peu plus au nord — dans l'ancien Bourbonnais —, Vichy, et ses neuf sources curatives pour le foie, fut d'abord fréquentée par les Romains, et sa réputation n'a jamais cessé depuis lors.

Le vert est supposé être bon pour les yeux. S'il en est ainsi, ceux qui souffrent de troubles oculaires devraient se précipiter dans le Cantal : la région n'est qu'un grand pâturage. Sur les pentes douces, des milliers de moutons broutent et le lait des brebis va directement à Roquefort, au sud, où se fabrique le célèbre fromage de Roquefort. Les caves où « mûrit » le Roquefort sont célèbres depuis huit siècles; selon la légende, le secret du fromage fut découvert par un berger qui se réfugia dans une grotte à cause de l'orage. Il posa son repas (pain et fromage) dans une anfractuosité du rocher. L'orage ayant cessé, il sortit, oubliant son casse-croûte. Quelques semaines plus tard, il revint dans la grotte : le fromage s'était veiné de bleu. Le berger le goûta et le trouva délicieux.

Les montagnes rocailleuses et les « puys » présentent des perspectives souvent impressionnantes. D'un côté, il y a les gorges du Tarn, véritables ravins et paradis du campeur. D'un autre côté, il y a Le Puy-en-Velay, ville sainte depuis un millier d'années et relais sur la route de Compostelle. Sa position est vraiment extraordinaire : d'énormes puys se dressent au milieu d'une plaine riche et verdoyante et sur le plus pointu d'entre eux s'élève une église romane qui semble la prolongation du rocher. L'escalier qui conduit à l'église est fort raide et, des deux côtés, de vieilles femmes sont assises et fabriquent leur dentelle gracieuse et délicate.

L'Auvergne est toujours une région rurale, comme le prouvent ses danses et ses coutumes locales. La bourrée, qui continue d'être dansée le dimanche, est la poursuite entre garçons, portant chapeaux ronds et noirs et sabots de paysans, et filles habillées de longues robes et de corselets remplis de fleurs fraîches : ils ne se touchent pas, mais à la fin font claquer trois baisers sonores sur les joues de leurs partenaires. L'orchestre est généralement composé de cornemuses, appelées ici « cabrettes ». Paradoxalement, c'est à Paris que l'on danse le plus la bourrée : un demi-million d'Auvergnats sont « montés » dans la capitale pour y ouvrir des restaurants, des magasins, des bistros.

Le déclin de la population, dans le Massif Central, est en effet frappante, surtout lorsque l'on arrive, par exemple, dans un village à moitié abandonné comme Conques : des touristes du monde entier viennent visiter la magnifique église abbatiale de la bourgade, construite au XIIᵉ siècle, mais la population locale compte moins de 200 habitants.

Les touristes affluent aussi dans le Limousin, tous les sept ans, à l'occasion des « ostensions »; ce sont des expositions de reliques des saints locaux : Martial, Valérie, Éloi, en particulier. Chaque villageois, des environs de Limoges, suit la procession, portant bannières et châsses splendides.

Bien que le Limousin soit une région assez pauvre, ses marronniers et sa bruyère, ses prairies où scintillent des eaux vives forment un paysage de toute beauté. Dès le Moyen Age, le Limousin était célèbre pour ses émaux; puis, dans les siècles suivants pour les tapisseries d'Aubusson et les porcelaines de Limoges. Ces activités s'industrialisèrent au XIXᵉ siècle. Récemment, on a découvert de l'uranium dans le sous-sol. Mais ce n'est pas encore suffisant pour retenir les Limousins et les Auvergnats dans leur pays natal...

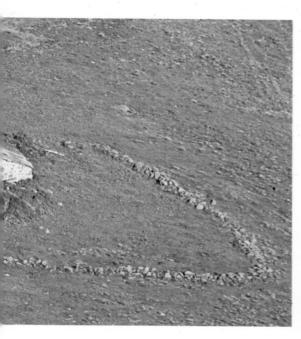

Le pays forme un vaste amphithéâtre « parsemé » de fermes. Les hauts plateaux, à plus de mille mètres d'altitude, sont nus. Seuls les moutons empruntent les sentiers de montagne en été; ils sont rassemblés dans des enclos de pierres sèches tandis que leurs bergers campent dans des « jas » ou « burons » qui sont des huttes basses souvent couvertes de chaume. Les prés restent verdoyants même au cours de l'été le plus torride car le sol rocheux garde l'eau près de la surface. C'est une région aux rapides et violents changements de temps : « Les vents se battent, les vents se contrarient, le temps se débat ». Le paysage est austère et sauvage avec de grands ciels au-dessus de montagnes orageuses dans un silence à peine rompu par le constant murmure des eaux qui dévalent les éboulis de roches grises. *(A gauche.)*

Les gorges du Tarn forment un magnifique *canyon*, presque unique en Europe, de roches dolomitiques rouges, ocre, bleues et grises, au fond duquel coule une eau cristalline. La rivière creuse son lit à travers le plateau des Causses, sculptant au passage des amas de rochers qui semblent être les ruines de villes disparues, sur un parcours d'une cinquantaine de kilomètres qu'il est fréquent de parcourir en canoë. De longues perches ont été fixées à divers endroits au-dessus du lit de la rivière afin d'aider les pagayeurs à passer les rapides, au bas de sombres et impressionnantes falaises. Plusieurs villages, dont le nom se termine en ac — du mot latin *aqua* eau —, comme Ispagnac à l'entrée des gorges, semblent se cacher au pied des falaises. *(A droite.)*

L'Abbaye de Conques-en-Rouergue se situe à la frontière de l'Auvergne et du Périgord dans un site qui aurait pu être choisi par les Pères du Désert. Ce serait l'une des plus anciennes haltes de pèlerins en France. Enfermée dans un cercle de sombres forêts, elle ne peut être bien vue que des vieilles rues grimpantes du village. L'église fut construite pour abriter les reliques de sainte Foy dont la statue-reliquaire en or et argent rehaussée de nombreux bijoux laissés par les pèlerins, — derrière des grilles faites, dit-on, avec le métal fondu de chaînes de prisonniers miraculeusement libérés — est la pièce maîtresse d'un trésor fabuleux. L'abbaye, elle-même, exemple splendide d'architecture romane, fut construite en même temps que celle de Saint-Sernin à Toulouse. *(A droite, en bas.)*

Ce sont les fermes et les maisons ordinaires, plus que les châteaux ou les églises, qui reflètent la qualité humaine de l'environnement.

Dans les régions de montagne les maisons sont faites de petites pierres, les *cayroux*, et recouvertes de tuiles de pierre, les *lauzes*. Les habitants sont réservés mais courtois. Dans un pays aussi profondément vallonné, les fermes ne sont pas grandes : le fermier possède en général sa maison et une vingtaine ou une trentaine de vaches au pelage marron clair et aux jambes nerveuses et quelques porcs de la région; sa femme fume probablement elle-même les jambons, fabrique et vend ses fromages au marché, mais la famille est assez prospère pour envoyer son fils au collège. *(Ci-dessous.)*

L'Auvergne, c'est avant tout cet éperon de collines volcaniques qui s'étend soudainement d'un plateau légèrement ondulé au nord. La formidable chaîne de volcans annonce de loin le caractère sauvage du pays. Pourtant, lorsqu'on s'approche, on découvre des creux fertiles où les alluvions volcaniques ont permis l'implantation de forêts profondes. Les puys sont des montagnes relativement jeunes : elles furent formées il y a un million d'années environ. Les milliers d'années d'érosion ont donné ces pentes en éboulis rocheux et en ravins. Les hauts plateaux donnent encore l'impression d'un pays hanté que ni les années ni le dur climat n'ont pu « apprivoiser »; d'ailleurs les légendes y abondent. Il y a de la magie dans cet espace rarement clair, mais de couleur changeante sous un ciel aux vastes nuages qui courent au-dessus des montagnes avec de grandes ombres qui masquent et transforment sans cesse la majesté de ce paysage sauvage. *(Ci-contre.)*

PÉRIGORD ET QUERCY

Rocailleux, criblés de grottes et d'abris, les plateaux calcaires du Quercy offrent leurs « causses », à la maigre végétation de steppes et de bois rabougris. De-ci de-là apparaissent quelques hameaux avec leurs champs clos de pierres. Tout à coup, cette âpreté est interrompue par le long ruban de verdure d'une vallée : le Lot.

Le Périgord présente le même contraste entre ses plateaux, plus boisés, mais pauvres aussi, et les belles vallées de la Dordogne et de ses affluents où l'on a trouvé les plus nombreux et riches vestiges préhistoriques en France.

Les Eyzies, en Périgord, sont appelés « la capitale de la préhistoire ». C'est un village qui s'étire sous un rocher en forme de proue et, toute l'année, des étudiants viennent s'informer au sujet de leurs ancêtres qui vivaient là il y a quelque 35 000 ans. Le *moustérien* et ses silex, l'*aurignacien* et ses bois, os et ivoires, le *solutréen* et ses sculptures et bas-reliefs, le *magdalénien* et ses objets ornés et façonnés en bois de renne ont tous laissé leur marque dans ces extraordinaires régions. La merveilleuse « réserve » que constituent les cavernes aux alentours des Eyzies fut explorée pour la première fois dans la deuxième moitié du XIXe siècle, lorsque furent découverts les célèbres squelettes de l'homme de Cro-Magnon. Paradoxalement, la préhistoire — cette science du lointain passé de l'humanité — est relativement nouvelle.

Autour de la Dordogne, il existe environ deux cents sites préhistoriques présentant un intérêt et le plus spectaculaire, Lascaux, fut découvert en 1940 seulement par quatre jeunes garçons dont le chien s'était faufilé dans la grotte. Lascaux, « la Sixtine de la préhistoire », maintenant fermée au public, présente une extraordinaire collection de dessins d'animaux, colorés et stylisés.

Les chercheurs ne peuvent pas expliquer ce qui a conduit l'homme de l'âge de pierre à décorer ainsi les parois de ses cavernes. Pour commémorer une bonne chasse ou, par superstition, pour essayer d'en obtenir une ? Était-ce dans un but religieux ? Était-ce une expression artistique primitive ? La réponse n'est pas simple. Quoi qu'il en soit, personne ne peut regarder ces dessins bruns, rouges et noirs sans être saisi d'un sentiment de beauté.

Autre fascinante richesse souterraine, naturelle cette fois : le gouffre de Padirac. Une rivière au centre de la terre, s'est creusée un chemin dans une faille étroite, à plus de 100 m de profondeur. C'est un phénomène géologique incroyable, avec ces vastes chambres (l'une de 80 m de hauteur), ces stalagmites et stalactites, ces formations cristallines féériques. Aujourd'hui, on peut se promener en bateau au fond de ce gouffre; c'est un voyage au pays des fées, légèrement inquiétant. Rien d'étonnant à ce que, au siècle dernier encore, ce gouffre ait été considéré comme l'œuvre du Malin...

Rocamadour est un autre don de la nature au Périgord, lieu de pèlerinage célèbre bâti sur un rocher.

Tous ces sites sont reliés entre eux par la Dordogne. La rivière circule paresseusement entre collines et champs, au milieu d'un des paysages les plus paisibles et les plus lumineux de France. D'Argentat à Bergerac, la Dordogne coule entre des châteaux moyenâgeux de pierre grise, avec leurs tours de guet et leurs créneaux. Castelnau (maintenant en ruines) et Beynac sont des châteaux de vastes proportions d'où l'on a une vue splendide sur la Dordogne. D'autres châteaux sont de simples gentilhommières, comme Carsac. D'autres enfin, comme Fénelon et Montaigne, sont devenus des lieux de pèlerinage littéraire.

Sarlat, ville natale du meilleur ami de Montaigne, La Boétie, est toujours une cité aristocratique (« une gravure, une harmonie de maisons, attirante pour le poète, le photographe et le peintre », a dit l'écrivain local René Deguirral) qui se trouve au centre du Périgord noir. Cette région est ainsi désignée à cause des teintes sombres de ses forêts de marronniers, de pins et surtout de chênes, au pied desquels se trouve la précieuse truffe. La truffe, ce champignon de grand luxe, que des truies et des chiens spécialement entraînés peuvent seuls déterrer, est indispensable pour parfumer un bon foie gras. Périgueux est la capitale de toutes ces bonnes choses : elle se trouve au milieu d'une terre crayeuse et blanchâtre, appelée le Périgord blanc, particulièrement bien adaptée pour l'élevage des oies.

Dans un pays comme la France, renommé pour sa cuisine, la Dordogne jouit d'une réputation sans pareille pour sa bonne chère. C'est tout dire ! Le secret de la gastronomie de cette région réside en l'emploi de produits fermiers utilisés en petites quantités : volailles (confit d'oie et de canard), champignons, gibier (civet de lièvre) et bons vins locaux, comme le Bergerac et le Cahors. Une étrange coutume subsiste en Périgord : « faire chabrol », elle consiste à verser généreusement du vin rouge dans l'assiette à soupe, à mélanger au vin les petits restes de la soupe de légumes et à boire le tout directement dans l'assiette. Un régal !

Au sud, le Quercy est également une terre de délices culinaires. Agen est universellement connue pour ses prunes et ses pruneaux; Montauban et Moissac pour leurs grappes dorées de raisin chasselas. Cette dernière ville, Moissac, possède aussi un trésor architectural : le tympan de son église Saint-Pierre, qui représente l'Apocalypse, et son célèbre cloître. Enfin, capitale du Quercy bâtie sur le Lot, Cahors est réputée pour son pont Valentré.

Pendant de longues années, le Périgord et le Quercy furent ignorés des touristes. Aujourd'hui, ce sont au contraire des régions de plus en plus visitées et aimées. Impressionnés par les immenses panoramas dégagés et émus par les nombreuses Vierges noires blotties dans leurs petites chapelles, les visiteurs sont également attirés par cette terre d'abîmes succédant aux collines escarpées. Heureusement, ces deux provinces ne conviennent pas au tourisme de masse, mais seulement aux amateurs de rivières, de bois, d'histoire et de préhistoire et à tous les gourmets raffinés.

Le Pont Valentré, célèbre entre tous, traverse le Lot à Cahors. C'est un splendide exemple de construction militaire du Moyen Age, avec ses trois tours carrées, ses parapets crénelés, ses sept grandes arches gothiques appuyées sur de forts piliers en éperon, reflétés dans l'eau de la rivière.

Le pont fut construit au XIVe siècle par les citoyens de Cahors, mais, dit une légende, avec l'aide du diable — la tour du milieu d'ailleurs est dite « tour du diable ». Une coutume terrible voulait que les prostituées reconnues de la ville fussent enfermées dans des cages de fer et descendues dans la rivière, depuis ce pont. Le pont était gardé par des hommes d'armes qui avaient le pouvoir de réclamer un droit de passage aux piétons et aux bateaux. Et ce droit fut maintenu bien longtemps après que le pont n'ait plus besoin d'être gardé militairement. (*A droite.*)

Les bourgs et les villages de France en font
l'un de ses plus grands charmes. Les vieux
villages se ressemblent : leurs maisons sont
serrées autour de l'église par besoin de sécurité,
certainement, mais aussi de chaleur humaine et
d'ombre, dans un climat souvent aride. Les
murs, avec les années, ont pris une délicieuse
patine, souvent rehaussée par une profusion de
fleurs.
Ce qui frappe un visiteur étranger ce sont
avant tout les volets qui sont un détail constam-
ment répété dans toutes les maisons, riches ou
pauvres. Ils sont essentiels dans un pays aux
hivers très froids et aux étés torrides lorsque la
fraîcheur de la nuit doit être gardée dans les
pièces sous peine de les transformer en véritables fours au cours de la journée. (*Extrême
gauche, en haut.*)

« Les truffes rendent les dames amoureuses et
les hommes galants » a écrit le fameux gourmet
Brillat-Savarin. Voici la façon traditionnelle de
trouver les truffes du Périgord qui poussent au
pied de chênes truffiers rabougris, de nos jours
plantés de main d'homme. En effet, la truie a un
goût naturel pour les truffes qu'elle trouve en
fouillant le sol de son grouin. Les chiens peuvent
aussi être dressés à la chasse aux truffes et
comme ils ne sont guère friands de cette espèce
de « morceau de charbon », ils sont en fait plus
faciles à utiliser.
Connus depuis plusieurs siècles, les « dia-
mants ou perles noirs du Périgord » avaient
acquis leur réputation dans les cuisines royales
de l'Europe des XVIIIe et du XIXe siècles, en
particulier celle de Frédéric le Grand de Prusse.
(*A gauche, en haut.*)

Des siècles de guerres, de rébellions et de
rivalités entre grandes familles ont laissé à la
région de la Dordogne un riche patrimoine de
châteaux qui s'accordent parfaitement au paysage naturel. Le château de Bonaguil, l'une des
plus formidables ruines du sud-ouest de la
France, se dresse sur une échine rocailleuse
entre deux vallées. Cette forteresse du XVIe
siècle fut bâtie par Béranger de Roquefeuil, un
seigneur fier et vindicatif qui fut si cruel pour ses
vassaux qu'ils se soulevèrent contre lui. Le
château fut conçu pour résister à la nouvelle
puissance des canons : de là sa forme inhabi-
tuelle en proue de navire, ses nombreuses
terrasses suffisamment larges pour supporter
l'artillerie, ses tours à mâchicoulis et ses cercles
concentriques de murailles. (*A gauche, en bas.*)

Rocamadour se situe à l'un des endroits les
plus extraordinaires de France, dans un étroit
canyon — l'alzou — au sommet d'un roc de près
de 150 mètres. Selon le Nouveau Testament,
Zachée, publicain de Jéricho, aurait vu Jésus
passer et l'aurait invité dans sa propre maison; il
se serait retiré par la suite dans ce lieu désert et
la légende en fit saint Amadour. Cette légende
était suffisamment ancrée dans le pays pour
attirer les pèlerins en route du Puy vers Saint-
Jacques-de-Compostelle, aussi Rocamadour
devint l'un des buts de pèlerinage les plus
populaires en France : les pèlerins venaient, et
viennent encore au mois de septembre, vénérer
la Vierge noire du Rocher (et s'émerveiller
devant Durandal, l'épée de Roland qui serait
restée prisonnière du rocher).
Rocamadour apparaît comme une succession
de rochers et d'escarpements dominés par une
chapelle, des remparts et un château au sommet.
La rue principale, bordée de maisons médiévales
qui s'appuient directement au rocher, monte au
sanctuaire par une série de marches : le Grand
Escalier (216 marches).
L'extraordinaire site, les monuments anciens,
la tradition biblique et la Vierge noire, tout
contribue pour faire de Rocamadour un lieu
grandiose. (*A droite, ci-contre.*)

41

L'une des plus longues rivières du sud-ouest de la France et peut-être aussi la plus pittoresque, la Dordogne parcourt une vaste distance dans un paysage encore intact : c'est une rivière large, vivante, qui possède une grâce certaine et dont les larges méandres, souvent bordés de bois, serpentent entre d'abruptes falaises de craie. La vue change à chaque instant au détour d'une de ces boucles et, peut-être à cause d'une lumière subtile qui joue sur les arbres et l'eau, un sentiment poétique diffus enveloppe ce paysage qui aurait pu être peint par Claude Lorrain.

Des villages aux toits roux grimpent le long des coteaux tandis que des châteaux dorés couronnent les escarpements et dominent un large panorama.

Les trois courbes du fleuve aux environs du village de Beynac sont parmi les plus belles de tout le cours de la Dordogne grâce au ravissant village lui-même avec son château qui surplombe la vallée de haut; en face, les coteaux boisés du manoir de Feyrac et la glorieuse ruine du château de Castelnau, puissant ensemble fortifié, de couleur miel. *(A gauche.)*

Ce paysage lunaire se rencontre dans le plateau des Causses, au sud du Massif Central. La roche est poreuse et le ruissellement des eaux érode rapidement la surface du plateau en une succession de formes chaotiques qui ressemblent à des ruines percées d'innombrables trous et couvertes d'une pauvre végétation de géné-

vriers, de ronces et de chênes nains. C'est un paysage d'une âpre beauté; aucune culture aux alentours sur cette terre aride, glacée en hiver et suffocante en été. Pourtant, une petite herbe sèche suffit à nourrir de grands troupeaux de moutons et de chèvres qui sont conduits par les bergers et leurs chiens jusqu'aux *lavognes*, ces trous d'eau typiques de la région, soigneusement consolidés de main d'homme, pour abreuver les bêtes.

Le sous-sol est criblé de caves favorables au mûrissement du célèbre fromage de Roquefort, fait avec du lait de brebis.

Lorsque les troupeaux se sont éloignés, il ne reste plus qu'un immense paysage silencieux, écrasé de soleil et d'une beauté presque inquiétante. *(A droite.)*

AQUITAINE ET PAYS BASQUE

Débouchant sur l'Atlantique, le long estuaire de la Gironde reçoit à la fois les eaux de la Garonne et celles de la Dordogne. Au sud, s'étend une plage de sable fin interminable qui ne s'achève qu'au pied des Pyrénées, au Pays Basque. Mais cette région d'Aquitaine, au milieu des vignes du Bordelais, est pleine de charme.

La capitale de l'ancienne province d'Aquitaine, Bordeaux sur la Garonne, est la quatrième ville française et l'un des principaux ports de France. Elle se prévaut de posséder les plus beaux monuments et le plus élégant tracé de toute la France. Depuis l'époque romaine, Bordeaux a toujours été une ville prospère. Elle passa aux mains des Anglais, au milieu du XIIᵉ siècle, lorsque Henri Plantagenêt, époux d'Aliénor d'Aquitaine, devint roi d'Angleterre.

Fière de sa place des Quinconces, de son cours de l'Intendance, de son port où les sirènes des caboteurs et des navires font rêver plus d'un jeune esprit aventureux, Bordeaux est aussi le centre d'une région viticole active. Il est d'ailleurs intéressant de remarquer que Bordeaux, une simple ville, a donné son nom à toute une catégorie de vins : au nord, Médoc et Saint-Émilion; au sud, Graves et Sauternes. Il existe deux manières de choisir un repas : accorder les vins à la chère ou bien choisir des mets qui conviennent au vin. A Bordeaux, c'est cette dernière solution qui l'emporte, car comme le dit le proverbe : « Un bijoutier monte ses pierres précieuses; un Bordelais monte son vin : c'est le repas qui est la monture ». Les « aristocrates » des vins de Bordeaux méritent tout le respect dont on les entoure : Château-Yquem, Château-Margaux, Mouton-Rothschild, Château-Lafite, Château-Latour... Des noms et des étiquettes à faire rêver...

Les pressoirs sont remisés dans de vastes hangars aux murs très épais. La période de fermentation, qui varie, est fixée avec précision par le viticulteur. Le vin est alors transféré dans des barriques et devient de plus en plus clair. Après deux ou trois ans pour les bordeaux rouges et de trois à quatre pour les blancs, le vin est enfin mis en bouteille. De forme cylindrique, la bouteille standard de Bordeaux contient 75 cl. En revanche pour les célèbres *châteaux,* on utilise des bouteilles de plus grande capacité : le magnum de deux litres et le jéroboam de six.

Si une bouteille de bordeaux symbolise le Bordelais, une barrique de résine représente les Landes. Cette région fut longtemps considérée comme pauvre et marécageuse, monotone et sans ressource, peuplée seulement de bergers montés sur des échasses. Mais, en 1785, Brémontier, un ingénieur, eut l'idée de retenir les sables mouvants de la côte en créant des dunes et en plantant des ajoncs bordés de rangées de pins. Ce serait inexact de penser que cette forêt n'est qu'une entreprise purement commerciale dénuée de toute beauté et de poésie. Un charme subtil flotte sur les lacs, sur les innombrables sentiers où circulent les gemmeurs. Des bandes d'hirondelles et de pigeons forestiers volent au-dessus des pins. Deux ports, Arcachon, réputé pour ses parcs à huîtres, au nord, et Capbreton (d'où des baleiniers partirent et découvrirent par hasard l'Amérique, dès le XIVᵉ siècle), au sud, ont réussi à survivre malgré le sable. Car le sable est roi tout au long de ce rivage qui s'étire sur plus de 200 km et qu'on appelle, à cause de sa couleur, la Côte d'Argent. Autre ville importante des Landes : Dax, célèbre pour ses bains de boue et ses sources d'eau chaude.

En dehors de la forêt, cette région est connue pour ses courses landaises, une variété non sanguinaire des corridas espagnoles. Presque chaque village dans les Landes possède son arène entourée de platanes, où des écarteurs et des vaches s'affrontent. Pas de mise à mort ici, pas de cruauté non plus, mais du danger cependant, lorsque l'homme et la bête sont face à face. Le plus valeureux des combattants a intérêt à s'esquiver à temps lorsque les cornes menaçantes sont tout près de lui ! Pour les amateurs de vraies courses de taureaux, à l'espagnole, il convient d'aller à Bayonne qui se trouve à la limite du Pays Basque.

Personne ne peut dire avec certitude d'où vient le peuple basque. Son territoire qui se trouve des deux côtés des Pyrénées (France et Espagne), ne renferme aucun vestige de pierre qui porterait témoignage de son passé. De rares chapelles çà et là, quelques maisons fortifiées à Saint-Jean-de-Luz, une église à trois clochers à Soulé, mais tout cela postérieur à l'an 1000. Mais c'est surtout leur langue, l'*eskuara*, qui défie les philologues. Viennent-ils de l'Atlantide, de Russie, d'Afrique, d'Amérique du Sud ? Un auteur, Aymeri Picaud, a même prétendu que les Basques seraient en fait des Écossais amenés par Jules César en Espagne... Pourquoi pas ? Ce qui est certain, c'est que ce peuple mystérieux a bien sauvegardé ses coutumes : la pelote, les danses et les improvisations poétiques sont les trois distractions des Basques français. De plus, le fabricant de *chistera,* ce panier creux en vannerie qui s'attache autour du poignet pour jouer à la pelote, est tenu en haute estime. D'autres spécialistes fabriquent toujours la célèbre *makhila,* cette longue canne ferrée qui peut être une arme mortelle.

Le vrai centre de la région basquaise est Biarritz, qui fut mis à la mode par l'impératrice Eugénie de Montijo, la femme de Napoléon III. Le roi d'Angleterre, Édouard VII, en fit sa station balnéaire préférée, à la Belle Époque. Le style néo-baroque de l'époque se retrouve dans les villas qui bordent la promenade. Le rocher de la Vierge et le vieux port sont autant d'attractions, un peu « fin de siècle », que conserve Biarritz.

Mondialement célèbre également, Lourdes qui devint, dès 1858, un des hauts lieux de pèlerinage marial. Chaque année, des foules de paralysés, de malades et de croyants se pressent devant la grotte miraculeuse. La ville de Lourdes se situe dans un cadre magnifique, entourée par les dents de scie des Pyrénées.

Quatrième ville de France et peut-être, après Paris, la plus riche en monuments datant du IIIe au XIXe siècle, ancienne capitale de la Guyenne splendidement située sur le rivage de la Garonne, navigable à cet endroit, Bordeaux est aujourd'hui un port maritime actif et le grand centre commercial du commerce des vins. Pendant trois siècles, jusqu'en 1453, Bordeaux fut possession anglaise et Richard II, fils du Prince Noir, y naquit.

La porte de la Grosse Cloche date du XVe siècle et apparaît dans les armes de la ville, avec ses six tours caractéristiques; elle abrite l'ancienne cloche municipale qui sonne les jours de fêtes. Mais la gloire architecturale de Bordeaux, sans oublier les nombreuses églises anciennes, date du XVIIIe siècle : le Grand Théâtre (dont l'escalier d'honneur inspira celui de l'Opéra de Paris), la majestueuse place des Quinconces, la place de la Bourse, le magnifique Hôtel de Ville et les splendides quais portent tous la marque d'un style architectural homogène, qui donne une remarquable unité à la ville. (Ci-contre.)

Que sera le vin cette année : bon, indifférent ou inoubliable ? Le maître de chai de l'un des plus somptueux vignobles du Bordelais, Château-Yquem, goûte le vin nouveau. Derrière lui se profilent les beaux bâtiments des XVIe et XVIIe siècles du château lui-même. La région de Sauternes, au sol calcaire mêlé de gravillons, produit un vin blanc liquoreux dont Château-Yquem est le plus réputé. Il doit son caractère spécial non seulement à un cep soigneusement choisi, mais à une méthode particulière de production extrêmement limitée. Le raisin est cueilli, souvent grain par grain, lorsqu'il est très mûr et qu'il a développé un champignon minuscule qui joue un rôle important pour le parfum du vin.

Les mauvaises herbes, ô stupeur, sont, à certaines époques bien définies, laissées pour protéger les racines !

La production et l'appréciation d'un très bon vin sont toutes deux un art, spécialement quand il s'agit du vin de Château-Yquem qui a atteint, après des siècles de soins, à la perfection. (Ci-dessus.)

A la fin de septembre, dans les montagnes du Pays Basque, il est de coutume de tendre un vaste filet à l'entrée d'un défilé connu pour être le passage habituel des pigeons migrateurs. Des rabatteurs, équipés de longues bannières blanches, qu'ils agitent pour pousser les oiseaux dans la *bonne direction*, sont postés sur des tours d'observation montées dans les arbres ou sur les rochers. Puis c'est au tour des « lanceurs de palettes » d'entrer en action. Ils jettent leurs projectiles vers les oiseaux qui se croient alors attaqués par leur seul ennemi, le faucon, et plongent droit dans les filets.

Chaque année, la chasse à la palombe est l'occasion des grandes fêtes dans les villages de montagne, à Sare en particulier, avec bals publics, foires et grands concours de pelote basque. *(Ci-dessus.)*

Pratiqué dans presque tout le pays, le rugby — que ce soit *à XV* ou *à XIII* — semble pourtant avoir pour terre d'élection le Sud de la France, et plus spécialement des villes de l'Aquitaine, du Languedoc et des Pyrénées. Chaque année, l'Équipe française de Rugby à XV participe au prestigieux Tournoi des Cinq Nations qui l'oppose aux « coriaces » formations d'Angleterre, d'Écosse, d'Irlande et du Pays de Galles. *(Ci-contre.)*

La pelote basque date au moins du Moyen Age, sinon de l'Antiquité, et se pratique dans toutes les villes, villages et hameaux du pays. Elle se joue en général sur un terrain rectangulaire, ouvert ou fermé — c'est alors le trinquet — mais seuls un solide pan de mur et un terrain plat sont vraiment nécessaires. Les garçons, qui souvent ont appris à jouer avec le curé du village, jouent à main nue. Plus tard ils utiliseront aussi le petit ou le grand gant, la *chistera* d'osier qui sert de levier et ajoute une incroyable puissance au lancer de la balle. Les jours fériés, il est habituel de voir les équipes habillées de blanc et ceinturées de rouge, avec les fameux bérets, faire montre de leur agilité — on parle toujours du Basque bondissant — en attrapant une balle qui arrive du mur avec une telle vélocité qu'elle en devient invisible pour les spectateurs. *(A droite.)*

Mer et sables frangés d'une forêt de pins qui s'étend sur environ cinquante kilomètres de large et cent kilomètres de long, se mêlent pour former un immense paysage encore sauvage. Mais en fait tout ici, ou presque, est dû à la main de l'homme : les pins ne furent plantés qu'au XVIIIe siècle et contribuèrent à fixer les plus hautes dunes d'Europe qui avançaient vers l'intérieur des terres au rythme de un à deux kilomètres par siècle. Avant le XIXe siècle la région était un lacis de marécages insalubres, que seuls quelques *échassiers* — ces bergers qui marchaient sur des hautes échasses pour garder leurs pieds au sec — habitaient. Même aujourd'hui les vastes étendues de pins des Grandes Landes sont pratiquement inhabitées; de plus, elles ont été partiellement dévastées par de nombreux incendies. Ce qui reste de la forêt est exploité pour sa résine que l'on peut voir couler goutte à goutte dans les petits récipients fixés sur les arbres incisés, et pour son bois transformé en pâte à papier. *(Ci-dessus.)*

La route monte en lacets jusqu'aux sommets de collines très vertes et les vallées se croisent en un système compliqué d'une surprenante richesse. Les fermes, ici, sont grandes, aérées, abritées sous un large toit qui, fréquemment, descend jusqu'à quelques centimètres du sol avec des poutres apparentes souvent ornées et peintes en vert ou brun rouge; leurs murs blanchis à la chaux, souvent interrompus par un large balcon de bois qui court tout autour de la maison, donnent à la campagne environnante un air pimpant et chaud. *(A gauche.)*

PYRÉNÉES ET LANGUEDOC

Sous un ciel d'un bleu intense, ces régions jouissent d'un climat sec et de cette lumière crue, si caractéristique des pays méditérranéens. C'est une terre de villes moyenâgeuses, de villages dorés par le soleil et de cités neuves ultra-modernes sur le littoral. Le développement touristique de cette longue plage de sable, bordée de lagunes, s'étendant de la Camargue à la Côte Vermeille, a permis la croissance des stations balnéaires existantes et la création de nouvelles, tellement différentes dans leur conception et dans leur architecture : la Grande-Motte, par exemple, bâtie dans un style de ruche.

A une trentaine de kilomètres de la Grande-Motte, et de son architecture moderniste audacieuse, se trouvent Nîmes, dont les monuments gallo-romains sont célèbres, et le Pont du Gard, cet aqueduc romain érigé en l'an 19 avant J.-C. A 25 km à l'ouest, Montpellier, possède la plus vieille faculté de médecine de France, où Pétrarque et Rabelais étudièrent.

Sur la carte, le Languedoc donne l'impression d'être une province composite. Pourtant, grâce à son histoire et sa langue (la « langue d'Oc » où *oc* a valeur affirmative) parlée autrefois par les troubadours, c'est une région très homogène.

La contrée qui s'étend au sud de Montpellier entre les montagnes et la mer renferme plusieurs villes intéressantes : Sète, perchée sur sa colline pierreuse et ville natale de Paul Valéry et de Georges Brassens, qui est en quelque sorte un troubadour moderne; Narbonne dont la cathédrale Saint-Just, commencée en 1272, ne fut jamais achevée (ses constructeurs furent trop ambitieux); Béziers, le grand centre d'exportation des vins de Languedoc, qui fut mise à sac plusieurs fois au cours de la croisade contre les Albigeois, au XIIIᵉ siècle (de 1209 à 1255).

Tout commença en 1208 : Toulouse devint le centre du conflit, motivé par l'assassinat du légat du Pape par un écuyer du comte de Toulouse, qui fournit un excellent prétexte à Simon de Montfort pour commencer sa cruelle croisade qui fit couler tant de sang. En fait la religion n'était qu'un prétexte.

Le Languedoc était alors formé par un nombre impressionnant de comtés, de vicomtés et de seigneuries. Le résultat final de toutes ces batailles et ces luttes fut de créer à l'intérieur de la province un esprit d'unité. Le comte de Toulouse devint, en quelque sorte, le souverain éphémère du

Languedoc et du sud de la France. Après Simon de Montfort, un autre chef dévastateur lui succéda au XVIᵉ siècle en la personne de Montluc. Enfin, les Dragonnades de Louis XIV donnèrent naissance à la révolte des Camisards dans les Cévennes.

Toulouse conserve un extraordinaire témoignage de sa richesse et de sa suprématie d'antan : l'église Saint-Sernin, d'une architecture romane parfaite. Désignée sous le nom de « ville rose », en raison de ses hôtels de style Renaissance en brique rose, Toulouse est devenue aujourd'hui la capitale de l'industrie aéronautique française.

Deux autres merveilles dans le Languedoc : Albi avec son église-forteresse qui rappelle également l'époque de la croisade du XIIIᵉ siècle et son vieux palais épiscopal (converti de nos jours en musée Toulouse-Lautrec); Carcassonne, la « Mecque des touristes » du monde entier au siècle dernier. Toulouse et Castelnaudary revendiquent toutes deux le titre de « capitale du cassoulet », cette sorte de ragoût fait d'oie,

de porc, de mouton et de haricots qui doit se déguster accompagné d'un vin local. Le Languedoc est en effet la région de France qui produit le plus grand nombre de vins de terroir, dont quelques-uns sont réellement délicieux : le muscat de Frontignan et le doux Banyuls, par exemple.

Bien que le Roussillon appartienne à la France depuis plus de trois cents ans, la race, la langue et les coutumes de ses habitants sont toujours catalanes. La partie méridionale du Roussillon est dominée par le massif du Canigou; là se trouvent d'élégantes villes d'eau comme Amélie-les-Bains ou Vernet-les-Bains.

Du cloître de Saint-Martin-du-Canigou ou de l'abbaye de Saint-Michel-de-Cuxa, nichés pareillement dans la montagne, on peut admirer la variété du paysage pyrénéen. Ces montagnes ont constitué de tout temps une barrière entre deux civilisations, la française et l'espagnole. L'État d'Andorre, en plein milieu des Pyrénées, a conservé son indépendance et son statut franco-espagnol, depuis le XVIIᵉ siècle.

D'Annibal avec ses éléphants aux armées de la Révolution française, le col du Perthus a résonné plus d'une fois sous les pas des soldats et des fantassins, au fil des siècles. Habituée aux invasions, la région tout entière est hérissée de fortifications dont celle de Prats-de-Mollo, construite par Vauban, et la citadelle de Perpignan : le Castillet. Capitale du Roussillon, Perpignan est l'une des plus riantes villes du sud de la France, avec ses avenues ombragées et son insouciante population d'origine catalane. Les soirs d'été, garçons et filles se retrouvent pour danser la « sardane », dans le cœur de la vieille ville.

La lumière est si intense et les couleurs si tranchées (jaune, bleu, rouge) que le Roussillon est un paradis pour les peintres. Picasso et Juan Gris s'installèrent quelque temps à Céret. Que l'on soit artiste ou non, on ne peut s'empêcher d'admirer Banyuls, sa cité en terrasses et ses plants de vignes, ou Collioure, qui semble incrustée dans les eaux transparentes de la Méditerranée.

Les cimes enneigées des Pyrénées apparaissent déjà à une cinquantaine de kilomètres de distance. Lorsque l'on s'en approche, en traversant les premiers contreforts chichement cultivés et les pentes couvertes de broussailles sauvages, puis la forêt de pins parsemée de clairières où paissent des vaches, l'immense barrière semble encore plus formidable. Il n'y a que sept grands cols dans toute la longueur de la chaîne qui s'étend sur 480 kilomètres. Chaleur, altitude et vents puissants aidant, des orages violents éclatent, explosent souvent, ajoutant à la beauté majestueuse de cette région de la France. (Ci-dessus.)

Cet aqueduc comprend trois étages d'arcades admirablement proportionnées. De 270 mètres de long, haut de 50 mètres environ, ce pont enjambe le Gard. Il fut construit en 19 avant J.-C., sur les ordres d'Agrippa, gendre d'Auguste et co-empereur, afin d'amener l'eau — depuis Uzès — à la ville de Nîmes.

La beauté de l'ensemble, sa couleur dorée accentuée encore par le vert foncé de la vallée en contre-bas, ont suscité une admiration unanime depuis sa création il y a quelque vingt siècles. (A gauche.)

Cette abbaye de Saint-Martin-du-Canigou, située sur une plate-forme rocheuse de la paroi du Canigou, à plus de mille mètres d'altitude, est l'une des merveilles de l'art roman en Roussillon. Construite au tout début du XIIe siècle dans un site sauvage et désert, au milieu d'épaisses forêts, l'abbaye, parmi d'autres fondations — nombreuses, dans la région — prouve hardiment la suprématie de l'église chrétienne sur l'Islam qui domina cette partie de la France et illustre admirablement le grand élan mystique qui donna naissance au premier développement artistique de l'art roman dans le Midi. C'est là, dans ce refuge architectural à la fois puissant et calme que les fidèles, protégés contre le soleil ardent et les rigueurs du climat venaient chercher la paix et la grâce. (A droite.)

Collioure, cet actif petit port qui garde encore des marques d'un passé phénicien et arabe et un ancien fort des Croisés, était un important port fortifié au XVIIe siècle.

Ses barques de pêche rouges, vertes et bleues, chargées de sardines et d'anchois ont été souvent dessinées par des peintres comme Matisse, Derain et Dufy qui séjournèrent là, prenant plaisir à goûter une merveilleuse lumière qui joue sur le port, les vieilles rues pavées aux maisons roses ou mauves et sur toute la splendide côte qui descend jusqu'à l'Espagne. (Ci-dessous.)

L'ancienne Cité fortifiée de Carcassonne, perchée sur sa colline au-dessus de l'Aude, forme un magnifique ensemble (pas du tout gâché par le fait qu'il s'agit en fait d'une « restauration » du XIXe siècle, due à Viollet-le-Duc). Ses massifs remparts gris, ses nombreuses tours rondes aux toits d'ardoise pointus (probablement une erreur de restauration) en font sûrement la ville féodale fortifiée la plus complète. C'était le fief de la noble famille de Trencavel et, au XIIIe siècle, une place forte des Albigeois jusqu'à sa prise par Simon de Montfort, au nom du roi de France. Ses fortifications étaient si puissantes que la ville, réputée imprenable, fut surnommée la *vierge du Languedoc*. L'amour courtois y fleurissait et les troubadours, assemblés sous le grand orme de la cour du donjon, chantaient les charmes de la belle comtesse Adélaïde ou les légendes nées d'un passé guerrier. Les tournois se déroulaient aux Lices, entre les deux cercles de remparts. Des Tours de la Justice et de l'Inquisition, qui rappellent les suites de la croisade contre les Albigeois, ou de la Tour des Wisigoths — vestige d'une place forte du Ve siècle —, la vue sur les Cévennes et, au loin, sur les Pyrénées, est magnifique. *(Ci-dessous.)*

Le Canal du Midi fait partie des canaux reliant l'Atlantique à la Méditerranée. Il débute à Toulouse, traverse le Languedoc et se termine à l'étang de Thau, près de Sète après avoir parcouru une distance de 241 kilomètres. Lorsqu'il fut terminé, en 1681, il fut considéré comme la merveille technique de l'Europe. Le projet fut conçu par un homme passionné, l'ingénieur Paul Riquet qui y consacra toute sa vie et toute sa fortune, avec l'approbation et l'aide de Colbert, le grand ministre de Louis XIV. Aujourd'hui, ce Canal est surtout apprécié pour son charme prenant : ses lacets, dessinés dans le paysage par deux lignes de platanes plantés sur ses rives pour les consolider, se déroulent dans la plus jolie partie du Languedoc. *(A droite.)*

La côte de la région Languedoc-Roussillon est en train d'être rapidement développée : une série de villes de loisirs nouvelles se créent, dont la Grande-Motte avec son architecture, rappelant ziggourats et pyramides, est l'une des plus spectaculaires.

Le long ruban de plages de sable fin au bord d'une terre trouée de lagunes — et de ce qui fut autrefois des marécages infestés de moustiques porteurs de la malaria —, fermée dans le lointain par une ligne de collines bleutées, est maintenant le paradis des vacanciers qui y viennent en foule.

Les bâtiments étincelants sont construits sur des arcades qui offrent une grande variété de boutiques et de restaurants ombragés, entourant une « marina » pour plus de deux milles bateaux.

Les constructions en forme d'alvéole qui s'élèvent des terres basses et qui brillent dans le grand soleil font, en quelque sorte, déjà partie du XXIᵉ siècle. *(Ci-contre.)*

CÔTE D'AZUR ET CORSE

De Toulon au golfe de Gênes, la côte méditerranéenne s'appelait la Riviera. Mais un romancier français du XIXᵉ siècle fut tellement frappé par l'harmonie des bleus de la côte française qu'il la dénomma la Côte d'Azur. La mer est bleue, le ciel est bleu, la lavande est bleue... La Côte d'Azur, qui s'étire sur quelque 180 km, est un vrai jardin des délices. Orientée vers le sud et protégée par une succession de montagnes, cette région bénie a des hivers exceptionnellement doux. Parfois élégante, parfois ravissante, parfois pleine d'ostentation, elle est constellée de criques et de panoramas plus plaisants les uns que les autres, où le soleil luit souvent d'un bout de l'année à l'autre. A moins de 200 km de la Côte d'Azur se dresse « l'Ile de Beauté » : la Corse, sauvage et romantique, qui repose après le côté parfois un peu artificiel du continent.

Depuis 600 ans avant J.-C., avec l'arrivée des premiers colons grecs qui s'établirent dans la splendide baie naturelle de Marseille — le Vieux Port —, cette ville a toujours occupé une position maritime primordiale dans la Méditerranée. Malgré les mélanges de population, aucune agglomération n'est plus française par essence, aucune ne combine ainsi un air de respectabilité et de prospérité (comme on le remarque sur la Canebière, son artère centrale, bordée de cafés et de lieux de divertissements, ombragée par de beaux platanes vénérables) avec cette impression de mystérieuse inquiétude qui flotte dans les ruelles du Vieux Port.

C'est du Vieux Port, dominé par la basilique Notre-Dame-de-la-Garde, que les touristes embarquent pour l'excursion traditionnelle au château d'If, construit sur une blanche île basse méditerranéenne et où le comte de Monte-Cristo fut enfermé; bien que tout le monde sache que ce personnage n'a jamais existé en dehors de l'imagination du romancier Alexandre Dumas, on ne peut s'empêcher de frémir malgré tout quand on voit le trou sombre d'où le comte se serait échappé de sa geôle.

Un ancien proverbe dit : « Qui a vu Paris, non Cassis, n'a rien vu ». Ce petit port devint connu, il y a une cinquantaine d'années, lorsque les peintres Derain, Matisse et Kisling essayèrent de faire passer sur leurs toiles son charme marin : les voiliers, les plages entourées de rochers et de falaises, et la mer, bleue, verte, argentée.

Après Marseille, Toulon est la ville la plus importante de la côte. Abritée par un rempart montagneux jouxtant le rivage, la ville se déploie le long des pentes du Mont Faron qui domine son port actif. En tant que base navale importante du pays, Toulon abrite de nombreux marins dans leur uniforme d'été qui se rafraîchissent à l'ombre des platanes de la terrasse d'un café en « sirotant » un pastis.

Aux alentours de la baie de Toulon se trouvent les coins les plus jolis, mais les plus secrets de la Côte d'Azur. Ici c'est une route poudreuse qui s'enfonce vers le sud au milieu des collines couvertes de pins, là c'est un chemin qui conduit à la mer insoupçonnée ou bien qui s'arrête brusquement tout en haut d'un rocher escarpé. A l'est, les collines sont habillées de fleurs printanières : narcisses, giroflées, anémones et iris. Entre ces parterres de fleurs poussent des espèces sauvages : valérianes, glaïeuls roses, buissons de cistes et de genêts, tout aussi attrayantes que les plantes cultivées.

De l'autre côté de Toulon, et toujours à l'abri de la chaîne des Maures, commence la succession des petites plages : Le Lavandou, Sainte-Maxime et Saint-Tropez, avec ses foules riches et internationales ses jolies filles peu vêtues, ses yachts fabuleux. Très

Le joli port de Cassis est niché à l'extrême pointe occidentale du Massif de l'Estérel, sous les falaises de près de 400 mètres du Cap Canaille : la plus haute falaise côtière de France. C'est de là que l'on peut explorer les Calanques : ce sont des échancrures calcaires étroites dont les parois d'un blanc étincelant se reflètent dans les eaux d'un vert éclatant sous un ciel sauvagement bleu. *(A droite, en haut.)*

Le Carnaval de Nice, au Mardi Gras s'ouvre par une procession de mannequins géants aux têtes grotesques qui sont promenées à travers la ville en mémoire des fêtes antiques des Grecs et des Romains. Aujourd'hui des batailles sont autorisées mais seulement avec fleurs et confetti; elles font rage dans les rues, à la grande joie de l'immense foule venue applaudir les spectacles et feux d'artifice; la fête dure une semaine. *(Ci-contre.)*

mondain aussi, un peu plus loin, Port-Grimaud, copie moderne d'un port italien.

Mais la vraie Côte d'Azur débute véritablement à Saint-Raphaël. Agay, Anthéor, Le Trayas, La Napoule forment une guirlande de plages serrées les unes contre les autres et conduisant en Italie. Cannes est toujours la capitale des yachts et des casinos; sa promenade de la Croisette est depuis des années déjà le lieu fréquenté par tous ceux qui sont favorisés par la naissance, la fortune ou le talent. Non loin se trouve Vallauris où Picasso a renouvelé l'art de la céramique.

Au milieu de sa « Baie des Anges », se trouve la reine de la Côte d'Azur : Nice. Ce n'est pas seulement une station balnéaire, mais une grande ville dont les boulevards débordent largement à l'extérieur. Entre le rivage et les hôtels, une vie calme s'écoule

sur la promenade des Anglais, cette large avenue bordée de palmiers, de roses et de plates-bandes qui se prolonge sur plusieurs kilomètres. La vieille ville et le port, le marché aux fleurs figurent parmi les multiples charmes de Nice. Puis la route de Villefranche (dont la chapelle fut décorée par Cocteau) conduit à l'un des plus petits états du monde : Monaco. De toute façon, une excursion à ne pas manquer est celle de la Grande Corniche qui domine la mer et conduit à Menton. De nos jours, c'est une route touristique, mais elle fut pourtant construite à des fins militaires, par Napoléon dont la patrie se situait au-delà de cette côte.

« Les yeux fermés, disait Napoléon à la fin de sa vie, je reconnaîtrais la Corse à ses parfums ». C'est vrai qu'il est impossible d'oublier l'odeur du maquis. Montagne

plantée dans la mer, la Corse possède une individualité que nulle autre île au monde ne détient. Ajaccio, sa capitale, surplombe une immense baie. La ville est fière d'avoir été le lieu de naissance de Napoléon, dont la maison natale existe toujours, rue Saint-Charles. Toute chose, dans la ville, rappelle l'Empereur : le boulevard et le quai Napoléon, la place du Premier-Consul, etc. Bonifacio, à l'extrême sud de la Corse, est un bijou d'architecture ancienne édifié sur un rocher célèbre surplombant la mer. Corte et Sartène sont deux gros bourgs magnifiquement perchés dans la montagne; on comprend alors pourquoi l'âne fut l'animal indispensable à la vie rurale corse... Une fois visitée, l'Ile de Beauté est aimée : sauvage, accidentée et violemment colorée. On ne lui dit jamais adieu, mais simplement au revoir !

Village touristique récemment construit à moitié sur pilotis, à moitié sur la terre (où un vieux village a été absorbé) et centré autour d'une *marina*, Port-Grimaud — curieusement — est plein de charme. D'ici quelques années rien ne distinguera ses maisons à deux étages, aux toits recouverts de vieilles tuiles et aux murs de couleur, des anciens villages provençaux avec leurs façades irrégulières, le rythme de leurs toits, leurs places ombragées et leurs cafés... rien sinon les yachts luxueux de toutes tailles ancrés au pied des maisons, sans un bateau de pêche. Car nous sommes dans la « Venise provençale », édifiée au fond du Golfe de Saint-Tropez pour les riches amateurs de bateau qui aiment leur confort tout autant que la mer et ses périls. Le but de l'architecte avait été « d'unir l'homme, son bateau et sa maison »; un objectif pleinement atteint. *(A gauche, en haut.)*

Antipolis — *la ville d'en face* —, de l'autre côté de la Baie des Anges, en face de Nice, fut établie par les Grecs au Vᵉ siècle avant J.-C. Antibes devint ville frontière aux XIVᵉ et XVIIᵉ siècles. Vauban en éleva les fortifications dont restent le Fort Carré, les remparts et le Front de Mer. C'est de nos jours un centre important de l'industrie florale et une ville touristique très fréquentée. Les rues étroites et pittoresques de la vieille ville conduisent au Château Grimaldi, construit sur l'emplacement d'un *castrum* romain. Picasso y habita pendant plusieurs années et y créa un grand nombre d'œuvres dont il fit don à la ville : le château est maintenant un musée d'art moderne avec une collection unique de tableaux, céramiques, dessins, tapisseries, sculptures et lithographies. *(A gauche.)*

Dernière ville avant la frontière italienne, Menton est aussi la ville la plus chaude de toute la côte méditerranéenne de France, protégée par l'écran des Alpes proches qui réverbèrent la chaleur, même en hiver. Les voyageurs d'autrefois qui faisaient le « Grand Tour », étaient enchantés par la beauté spectaculaire de l'endroit que les Romains appelèrent *pacis sinus* : Baie de la Paix. La légende veut que le citron ait été cultivé là pour la première fois grâce à Ève qui, chassée du Paradis terrestre, arriva à Menton qui lui sembla un autre paradis et planta un pépin qui prit racine. Le Festival du Citron est l'un des événements de l'hiver lorsque, en février, les citrons sont cueillis.

L'excellent musée consacré essentiellement à l'anthropologie, possède le crâne de « l'homme de la grotte de Menton »; l'un des plus vieux que l'on ait trouvé en Europe. *(Ci-dessus.)*

Èze est l'un des villages « suspendus » qui furent construits au Moyen Age sur une hauteur dominant la mer, site protégé des attaques possibles du côté de la mer aussi bien que de la malaria qui sévissait alors : dernier bastion des Alpes du sud vers la mer, sur un éperon rocheux à une hauteur vertigineuse. Artistes et artisans occupent aujourd'hui la plupart des maisons de la vieille ville qui grimpe en pente raide jusqu'à une terrasse d'où l'on découvre une vue fantastique sur la côte. Les jardins exotiques au pied du donjon sont célèbres pour leur importante collection de cactus.

Les voitures sont interdites dans ces petites rues abruptes, quelquefois couvertes, quelquefois interrompues par de longs escaliers qui se terminent toujours au bord du précipice. (Ci-dessous.)

La Corse, l'Ile de Beauté, porte bien son nom. Les contreforts de ses montagnes sont couverts d'un maquis embaumé, qui forme un fourré presque impénétrable de cistes, de myrtes, de lentisques et de bruyère mélangés à du thym, du romarin et du chèvrefeuille odorants. Plus haut s'étend la forêt de hêtres, de chênes et de pins mais surtout, sur certaines pentes, des forêts entières de châtaigniers qui sont l'une des ressources de l'île. Plus haut encore, des sommets enneigés — même en été.

Les vieux villages, agglomérations de maisons de pierre, sont haut perchés pour d'anciennes raisons de sécurité : en effet les Vandales, les Byzantins, les Arabes et finalement les Lombards envahirent successivement la Corse. (A droite.)

VALLÉE DU RHÔNE ET PROVENCE

La vallée du Rhône creusée par ce fleuve impétueux (tôt ou tard, quelqu'un dira : « Le Rhône n'est pas un cours d'eau, c'est un torrent »), qui a maintenant été dompté par de nombreux barrages, comme Donzère-Mondragon, a fourni une voie de pénétration à l'art roman. Depuis le Lyonnais brumeux jusqu'à la Provence gaie et bigarrée, le Rhône s'élargit, roulant ses graviers jusqu'à son delta, la Camargue, cette terre poétique et venteuse, faite de marais et de lagunes.

Ce qui frappe en arrivant à Lyon, l'une des premières agglomérations de France, c'est l'importance de l'eau : la ville est en effet construite au confluent du Rhône et de la Saône, dans une vallée profonde, véritable carrefour des routes européennes. Capitale de la soie depuis toujours et centre industriel important, Lyon est une cité bourgeoise et offre cette « folie bourgeoise » par excellence : la bonne chère. Aucune autre ville, même Paris, n'offre un tel choix de restaurants, plus remarquables les uns que les autres. Ira-t-on dîner au cœur de Lyon, près de la jolie place Bellecour, et essayer les quenelles et ces exquis saucissons chauds ou secs lyonnais, ou bien dans une simple auberge pour y découvrir une spécialité gastronomique ?

Peu après Lyon, le Midi commence : à Vienne, et encore plus à Valence, apparaissent les premiers ifs et les premiers mas.

A Montélimar, capitale mondiale du nougat, la lumière change : il n'y a plus de doute, c'est la Provence.

Cette basse vallée du Rhône est entourée de montagnes calcaires, hérissée de collines rocailleuses, parfumée de thym, de lavande et de romarin, où l'olivier sauvage pousse et les cigales chantent. Ces rivages ensoleillés et d'accès facile (il y a 2 000 ans, le delta du Rhône n'était qu'un vaste lac) ont attiré des vagues d'envahisseurs provenant de toute la Méditerranée. Les Phéniciens, d'abord, en firent une colonie, et vers 125 avant J.-C., les Romains firent leur entrée dans le pays, qu'ils nommèrent la « Province Romaine » d'où son nom actuel : « Provence ».

L'occupation romaine a laissé des traces indélébiles dans la région. A Orange, par exemple, se dressent toujours dans leur majesté un théâtre, un amphithéâtre. Quant à Vaison-la Romaine, c'est le Pompéi français, avec une cité romaine entièrement préservée et remontant au iie siècle avant J.-C. De nos jours, Arles demeure souriante et calme, avec des souvenirs de son glorieux passé romain que ses habitants respectent pieusement ; et c'est dans l'arène romaine, qui peut contenir jusqu'à 25 000 spectateurs, que les courses de taureaux ont lieu tous les ans, en juin. Et les femmes d'Arles ! Elles ont hérité l'esprit et la beauté de tous leurs ancêtres : Grecs, Romains, Sarrasins, Provençaux. En plus, leur costume est l'un des plus seyants de France : une jupe longue et un châle blanc, les cheveux ramenés au sommet de la tête et recouverts d'un soupçon de dentelle entourée d'un ruban noir et large, aux pans flottants.

Au sud-ouest s'étend la Camargue, entre deux bras du Rhône. Terre plate, solitaire,

Les Saintes-Maries-de-la-Mer doivent leur nom à deux saintes : Marie, sœur de la Vierge; Marie, mère des apôtres Jacques le Majeur et Jean, et à leur servante noire Sara qui, selon la légende, débarquèrent ici en 45 après J.-C. L'impressionnante église fortifiée (xiie au xve siècle), qui contient leurs reliques, est le but du célèbre pèlerinage des Gitans en mai. (Ci-dessus.)

perdue au milieu des eaux. A cause de la paix qui y règne, elle est aussi devenue une réserve d'oiseaux, surtout pour les espèces aquatiques : le flamant rose, la blanche aigrette si délicate, le brillant ibis.

Plus au sud, tout au bord de la mer, se trouvent les Saintes-Maries-de-la-Mer dont l'église est le lieu de rendez-vous des Gitans de toute l'Europe. Au-delà d'une terre détrempée se dressent les murs d'Aigues-Mortes, deuxième agglomération de la Camargue, d'où la Méditerranée s'est retirée. Les Baux font aussi figure de cité morte devenue aujourd'hui le royaume de la pierre tendre.

Du sommet des Alpilles, d'où émerge la nudité du Mont Ventoux, comme une sentinelle, on peut voir le jardin de Provence qui s'étend au pied des montagnes : le vignoble de Châteauneuf-du-Pape, les melons de Cavaillon, les vergers d'abricotiers de Tarascon, les fleurs de Saint-Rémy. La plus délicieuse des localités en raison de son calme, de ses cafés, fontaines, promenades et vieilles églises, est sans doute Aix-en-Provence, célèbre pour son raisin muscat, qui fut introduit dans la région par le roi René, comte de Provence : un grand ami des arts au xve siècle.

Avignon a été le but de voyages en France depuis plus de six siècles, depuis que le pape français Clément V s'installa dans cette ville pour complaire au roi Philippe le Bel. Le Palais des Papes, cette vaste construction, qui est à la fois forteresse et habitation luxueuse, se dresse au-dessus du Rhône traversé par les restes du fameux « pont d'Avignon », connu par une célèbre ronde enfantine.

« Celui qui n'a pas vu Avignon au temps des papes n'a rien vu. La vie était gaie et animée alors », a écrit il y a un siècle Alphonse Daudet. Mais aujourd'hui, Avignon connaît toujours une vive animation surtout en été lorsque le Festival attire des milliers de spectateurs. Pendant cette période bénie de l'année, personne ne peut ignorer la luminosité particulière de l'air, le doux parfum des plantes et des arbres et, par-dessus tout, la bonne humeur cordiale des habitants dont la joie de vivre est plus entraînante que dans tout le reste de la France.

Les âpres collines de Haute Provence où l'eau est rare et la végétation pauvre sont peu peuplées. Le paysan provençal a construit ici d'innombrables murettes de pierres sèches afin de retenir le peu de terre arable qui forme les minuscules champs de cette région, souvent dévastée par des intempéries violentes qui entraînent eau et terre à la fois. Les habitants vivent dans des villages perchés qui donnent au paysage son aspect si particulier. Ce n'est pas ici le pays des oliviers mais plutôt celui des chênes verts, des pins maritimes, et de la lavande. (Ci-dessus.)

Quel admirable site au confluent du Rhône, fleuve puissant et rapide, et de la Saône, large et tranquille ! La ville s'étage sur plusieurs collines dont la « colline qui travaille », la Croix-Rousse, et la « colline où l'on prie », Fourvière, dominée par la basilique, construite au XIXᵉ siècle sur l'emplacement du Forum de la cité romaine de *Lugdunum* et d'une église du XIIᵉ siècle dédiée à la Vierge et, curieusement, à saint Thomas Becket.

Lyon peut justement être fière de ses magnifiques quais ombragés le long des deux fleuves où s'élèvent de belles maisons, dont beaucoup sont des hôtels particuliers des XVIᵉ et XVIIᵉ siècles, où habitaient les fabricants et les marchands *soyeux* : cette soie qui fit la célébrité de la ville depuis des temps très anciens. (Ci-contre.)

De vastes troupeaux de taureaux et de chevaux à demi-sauvages galopent librement dans ces vastes lagunes asséchées et sablonneuses coupées d'innombrables lacs et ruisseaux, petites branches du Rhône dont la Camargue est le delta.

Les taureaux, petits et rapides, étaient déjà recherchés au temps des Romains pour les arènes de Nîmes, d'Arles et d'Orange en particulier. Ils sont maintenant répartis en *manades* que surveillent les *gardians*, montés sur des chevaux blancs trapus (probablement introduits dans la région par les Arabes) et armés de leurs fameux tridents pour rassembler les troupeaux. Dans les arènes — aucune petite ville de Provence ne saurait être sans son arène —, des courses beaucoup moins cruelles que celles d'Espagne se déroulent : il s'agit des courses à *la cocarde,* où le taureau est provoqué, légèrement blessé quelquefois, fatigué jusqu'à ce qu'un homme puisse l'affronter de face et attraper la cocarde placée entre ses cornes.

La Camargue est le paradis des naturalistes qui trouvent une flore et une faune spécifiques et rares. Il y a là un très beau et naturel parc national, à la jonction de l'eau douce apportée par le Rhône et de l'eau salée laissée par la mer se retirant : d'innombrables animaux vivent là, depuis des colonies de castors jusqu'à des flamants roses. *(Ci-contre.)*

L'aspect fantastique de cette petite ville perchée sur d'abruptes falaises calcaires est encore accentué par le mistral qui hurle en tourbillonnant entre ces ruines impressionnantes, sous un ciel d'un bleu ardent.

Au Moyen Age, cette puissante forteresse résista aux Comtes de Provence pendant plusieurs siècles. Au XVIᵉ siècle, les Baux devinrent un centre de la Réforme et de violentes querelles religieuses s'ensuivirent. Le château fut finalement détruit en 1632 car il semblait trop menaçant. Chaque année à Noël, une émouvante messe de minuit est célébrée à la lueur des cierges selon le rituel provençal : procession des bergers, et offrande de l'agneau. L'énorme crèche traditionnelle est peuplée de santons de Provence, ces petits personnages d'argile colorée qui, outre les personnages sacrés, représentent tous les habitants d'un ancien village provençal. *(A droite.)*

L'ancienne cité romaine de *Aquae mortae,* eaux mortes, offre un spectacle unique. La paisible petite ville située au confluent de quatre canaux autrefois navigables, au milieu de marécages et de lagunes, est encore aujourd'hui complètement entourée de ses formidables murailles du XIIIᵉ siècle. Une vingtaine de tours, rondes ou carrées, défendent les portes fortifiées. La grosse Tour de Constance fut construite par Saint Louis pour protéger le port relié à la mer par un étroit chenal. Ce fut de là qu'il partit pour la croisade, en 1248. Aigues-Mortes devint alors un port important dont la population était de quatorze mille habitants au XIVᵉ siècle. Mais ses abords s'ensablèrent et la ville, coupée de la mer, déclina rapidement. Aujourd'hui, les vignobles et les marais salants, exploités depuis le VIIIᵉ siècle, sont les seules ressources de la population. *(Ci-contre.)*

SAVOIE ET DAUPHINÉ

Le long de la frontière sud-est de la France, du lac de Genève à Nice, se dresse une grandiose barrière montagneuse qui offre quelques-uns des paysages les plus spectaculaires d'Europe : les Alpes françaises.

Elles présentent la plus grande variété de panoramas et de climats qui vont des pics neigeux autour du Mont Blanc (avec ses 4 807 mètres) à la Vanoise, au Haut Dauphiné et à ses sites romantiques, tels les lacs de Genève, d'Annecy et du Bourget, jusqu'au Midi ensoleillé avec les Alpes Maritimes.

Protégées par leurs glaciers et leurs crevasses, les Alpes furent longtemps considérées comme infranchissables, malgré Annibal, le général carthaginois, qui les traversa avec ses éléphants pour vaincre les Romains à Cannes en l'an 216 avant J.-C. Cependant, la vraie conquête des Alpes accompagna le développement du chemin de fer. L'un après l'autre, le Saint-Gothard, le Simplon et d'autres tunnels furent creusés à travers les Alpes, au XIXe et au début du XXe siècle. Mais le projet le plus ambitieux restait à réaliser.

Le 3 août 1787, Horace de Saussure, le célèbre naturaliste et physicien de l'époque, fit l'une des premières ascensions du Mont Blanc. Il écrivit alors : « Je vois deux villages où les gens sont les mêmes et parlent la même langue. Quelque jour, une route passant sous le Mont Blanc reliera les deux vallées de Chamonix et d'Aoste. » Son vœu fut exaucé cent soixante-dix huit ans plus tard : le 17 juillet 1965, le tunnel sous le Mont Blanc fut inauguré.

Les 11,6 km de l'ouvrage faillirent bien ne pas être creusés tant les conditions de travail étaient difficiles; ce ne fut pas le triomphe de la technique, mais de la volonté humaine qui permit de mener les choses à bien. Toutefois, cette liaison — malgré son coût énorme — entre la France et l'Italie est plus qu'utile : aujourd'hui, environ un million de voitures, de camions et d'autobus empruntent le tunnel chaque année.

Mais il y a une façon plus agréable de découvrir le magnifique panorama des Alpes du nord, c'est de suivre la Route des Grandes Alpes qui traverse la Savoie. En quittant Evian (dont l'eau est sur toutes les tables de France et de Navarre), on se trouve immédiatement dans les montagnes. Après Taninges, la masse impressionnante du Mont Blanc (le plus haut sommet d'Europe) apparaît dans toute sa splendeur, avec à ses pieds la Mer de Glace. D'un côté du Mont Blanc se trouve Chamonix, la plus ancienne et la plus grande des stations de sports d'hiver française qui se convertit, en été, en centre d'escalade et d'alpinisme. De l'autre côté, se trouve le centre très mondain de Megève. Plus au sud, la route tortueuse franchit une série de cols : Saint-Bernard, Iseran, Mont-Cenis et Galibier. Au passage, on peut remarquer un certain nombre de stations de sports d'hiver, la plus importante à Val d'Isère, dominée par le lac de Tignes, puis Courchevel et sa « jumelle » Méribel, les Ménuires et les plus récentes de Val Thorens, La Plagne, Les Arcs...

En été (de la fin juin au mois d'août), les vallées se couvrent de fleurs sauvages : narcisses, anémones, gentianes et rhododendrons. Un émerveillement de couleurs et de parfums... La montagne est si belle que, en 1963, le gouvernement français décida de créer le Parc National de la Vanoise, entre les rivières de l'Isère et de l'Arc, dans le prolongement du parc italien du Grand Paradis. Sur 57 000 ha, la flore alpine rare (lis des montagnes, edelweiss...) et la faune en voie de disparition (aigles, chamois, bouquetins, marmottes...) sont à présent précieusement préservées.

Cette contrée, appelée Maurienne, fut l'une des premières acquisitions de la Maison de Savoie, cette dynastie qui régna neuf siècles sur la Savoie et le Piémont italien. La Savoie ne fut en effet réunie à la France qu'en 1860 seulement et a gardé toute sa personnalité. C'est ainsi qu'Annecy fait partie de l'ancien Genevois. Près de Chambéry, Jean-Jacques Rousseau, l'auteur du *Contrat Social*, a vécu des heures heureuses auprès de Mme de Warrens, la délicieuse « maman » comme le philosophe appelait sa maîtresse. Le jardin en friche, le petit vignoble conduisant au bois de marronniers que Rousseau mentionne dans ses *Confessions*, sont toujours là...

Briançon est l'une des plus hautes et des plus jolies villes alpestres, couronnée par une série de forts construits par Vauban comme des nids d'aigles au milieu des hauteurs d'alentour. C'est un excellent point de départ pour des promenades dans la montagne, afin de découvrir la beauté champêtre des vallées du Var et du Queyras. On croise alors d'autres stations de sports d'hiver (l'Alpe-d'Huez, Villars-de-Lans) et on arrive à Grenoble qui marque la frontière entre la Savoie et le Dauphiné. Grenoble est l'ancienne capitale des Dauphins (qui donnèrent leur nom au Dauphiné) : titre porté ensuite par le fils aîné des rois de France. Le Palais de Justice actuel de Grenoble n'est rien d'autre que l'ancien Palais de ces Dauphins.

Grenoble sera toujours associée à l'épopée napoléonienne, lorsque l'Empereur revint de son exil de l'île d'Elbe en février 1815. Dans ses mémoires dictés à Sainte-Hélène, Napoléon disait : « Avant Grenoble, j'étais un aventurier. A Grenoble, je devins un prince ». Plus récemment, Grenoble connut d'autres heures de gloire : ce fut un des hauts lieux de la Résistance, au cours

de la dernière guerre. Les montagnes du Vercors, toutes proches, avec leurs grottes et leurs forêts, pouvaient cacher à merveille les Résistants.

Après le Vercors, les pics disparaissent. La montagne se transforme en gorges, comme les canyons du Verdon, qui annoncent déjà le Midi. Les vaches cèdent la place aux troupeaux de moutons éparpillés. Les Alpes mènent à une nouvelle région : la Provence.

Avec 4807 mètres d'altitude, le Mont Blanc est la plus haute montagne d'Europe. Pourtant, vu du versant français il apparaît comme un « géant débonnaire » avec de magnifiques pers-pectives de dômes et de glaciers. Rares sont les aiguilles, comme l'Aiguille du Goûter ou l'Ai-guille du Midi, qui interrompent la ligne arron-die des sommets. Vu d'Italie il est beaucoup plus imposant et son ascension est aussi beaucoup plus difficile.

Le Glacier des Bossons descend jusqu'à Chamonix, à quelques centaines de mètres des premières maisons.

Le seul chemin pour contourner le massif passait récemment encore par les cols du Grand et du Petit-Saint-Bernard (où se trouve le fameux refuge des voyageurs et le « quartier-général » des sympathiques et si utiles chiens de sauvetage), passes utilisées par de nombreuses armées depuis Annibal et ses éléphants. Désormais le tunnel sous le Mont Blanc, une remarquable réussite, permet une circulation rapide et facile. *(Ci-dessous.)*

Annecy est admirablement située au bord de son lac, avec une admirable « toile de fond » de montagnes qui encadrent les eaux d'un bleu-noir irréel.

C'est au XVIᵉ siècle, que saint François de Sales, né près d'Annecy et évêque de Genève, combattit le calvinisme qui se propageait rapidement en Savoie. Aujourd'hui la ville est un centre industriel et touristique.

Le Palais de l'Isle forme, de par sa situation, l'une des plus jolies curiosités de la cité. C'est du pont que l'on profite le mieux du point de vue sur les vieilles maisons du quai.

En se promenant, l'on suit une rue à arcades qui conduit à l'ancien château des Comtes de Genève et des Ducs de Savoie-Nemours (une branche cadette de la Maison de Savoie). *(Ci-contre.)*

Les Alpes françaises, en dépit de leur aspect imposant, ne forment pas une barrière infranchissable : de puissantes rivières, comme l'Arc, l'Isère et la Durance (nées haut dans les montagnes), ont formé un système de vallées si compliqué qu'il a été dit que les Alpes étaient une « chaîne de vallées ». D'immenses glaciers caractérisent la région, le plus connu étant celui de la Mer de Glace : un large fleuve de glace de 12 km de long qui descend jusqu'à Chamonix en passant par le *Mauvais Pas* et le *Chapeau*. Au-dessus de Chamonix, capitale de l'alpinisme, s'élèvent les fameuses Aiguilles, comme l'Aiguille Verte ou le formidable obélisque du Dru, objectifs toujours recherchés par les alpinistes chevronnés que les téléphériques ou le chemin de fer du Montenvers transportent rapidement au pied des montagnes à escalader. L'école alpine de Chamonix est célèbre dans le monde entier et de nombreuses « premières » ont été faites par des « chamoniards ». *(A droite.)*

Ancienne capitale du Dauphiné, aujourd'hui ville moderne importante de 170 000 habitants environ avec une Université et une Maison de la Culture renommées, Grenoble est le centre économique et culturel des Alpes. Aucune ville française ne peut s'enorgueillir d'un site aussi majestueux, au confluent de l'Isère et du Drac, au milieu de sommets largement découpés atteignant une hauteur de plus de trois mille mètres et qui apparaissent au détour de chacune de ses avenues. Du haut du téléphérique de la Bastille s'étend l'immense panorama sur les Alpes. (Ci-dessus.)

Avoriaz est une station de sports d'hiver typique du récent développement des Alpes françaises. Construite au-dessus de l'ancienne station de Morzine, Avoriaz est connue pour l'étendue et la diversité de ses pistes de ski, admirablement équipées, qui relient plusieurs vallées et rejoignent plusieurs autres stations telles Les Arcs ou La Plagne. Un skieur enthousiaste peut maintenant quitter son hôtel un matin et n'y revenir que deux ou trois jours plus tard; sans emprunter jamais le même parcours. Mais ce qui a retenu l'attention surtout c'est la qualité de l'architecture de cette station : plusieurs éperons de bâtiments, hérissés comme les cimes qui l'entourent, se fondent parfaitement avec le paysage; ils sont en grande partie recouverts de bois naturel et ne jurent en rien avec l'environnement. (A droite.)

La Grande-Chartreuse se trouve à plus de 1 000 mètres d'altitude dans les Alpes. Les bâtiments du xviie siècle, dont il reste l'église, le cloître et les cellules monacales, forment le berceau de l'ordre des Chartreux dont la fondation par saint Bruno remonte à 1084 : silence perpétuel et régime végétarien sont deux des règles de cet ordre très austère.

Aujourd'hui, le monastère est surtout connu pour la recette de la fabrication de la liqueur du même nom; les célèbres Chartreuses verte et jaune. (Ci-dessous.)

BOURGOGNE, CHAMPAGNE, FRANCHE-COMTÉ

Pour beaucoup de gens, la Bourgogne et la Champagne n'évoquent rien d'autre que des noms imprimés sur des bouteilles de bon vin. Ces régions, ainsi que la Franche-Comté, sont parmi les moins connues de France. Pourtant, elles représentent le pays dans ce qu'il a de plus authentique. Michelet, l'historien amoureux de son pays, a dit : « Ces provinces réconcilient le nord et le sud de la France ».

C'est vrai que la Champagne, dont le nom signifie tout bonnement « champ ouvert » (par conséquent champ de bataille), conserve quelque chose des plaines du nord. Quant à la Bourgogne, cette contrée vallonnée et recouverte de forêts ondoyantes, elle annonce déjà la douceur du Midi. Enfin, la Franche-Comté, « le pays libre », où se trouvent le Jura et ses bois, est une série de crêtes reliant la France et la Suisse, mais où l'influence du sud se manifeste dans certains détails architecturaux (le traité de Nimègue en 1678 mit un terme à la longue présence espagnole). Ainsi, la capitale de l'horlogerie, Besançon, possède toujours des grilles de fenêtres en fer forgé, dans le plus pur style espagnol. Dans la Grande-Rue de cette ville, on peut voir les maisons où naquirent Charles Nodier, Victor Hugo et les Frères Lumière. D'ailleurs, beaucoup de grands hommes sont originaires de Franche-Comté : Pasteur est né à Dole; Rouget de Lisle, l'auteur de la *Marseillaise,* est un enfant du pays, ainsi que le peintre Courbet. L'une des grandes œuvres de ce dernier *L'Enterrement d'Ornans* (sa ville natale) présente un paysage typique du Jura : une série de plateaux, une tranquillité toute pastorale.

Il existe des noms devenus internationaux. La simple évocation du « champagne » fait songer immanquablement à une atmosphère de gaieté. Pas d'événements heureux, à n'importe quel point du globe, sans la joyeuse explosion d'un bouchon de champagne. La Montagne de Reims produit exclusivement des raisins noirs; la Côte des Blancs, au sud, est célèbre pour ses raisins blancs. Plusieurs variétés sont nécessaires pour fabriquer un excellent champagne. Lorsque l'on traverse cette région en automne, avec, à perte de vue, les raisins dorés dans l'attente des vendangeurs, on parcourt une des plus riches terres de France et c'est un ravissement pour les yeux et l'esprit.

Reims et Épernay sont célèbres pour leurs immenses caves où, au fil des années, les vins de Champagne acquièrent leur qualité.

Reims n'est d'ailleurs pas seulement célèbre pour ses vins de Champagne, mais pour sa magnifique cathédrale. Bien que la ville ait été beaucoup endommagée au cours de la Première Guerre mondiale, sa cathédrale demeure, avec celles d'Amiens et de Beauvais, l'un des plus beaux monuments religieux gothiques de la France. Depuis que Clovis y reçut le baptême en 496, la tradition voulait que les rois de France fussent couronnés à Reims.

Il n'existe pas un seul nom de ville ou de village en Champagne qui n'ait été associé à

L'Hôtel-Dieu qui fut fondé en 1443 par le Chancelier de Bourgogne, Nicolas Rolin, demeure l'un des plus parfaits exemples de construction laïque médiévale en France. La beauté de l'extérieur, avec ses célèbres toits recouverts de tuiles vernissées polychromes particulières à la région, s'harmonise avec un intérieur du XVe siècle, si peu altéré que l'on pourrait se croire transporté en ce siècle.

Louis XI, qui n'avait aucune tendresse pour ce Bourguignon, trouvait : « qu'il était tout à fait convenable que Rolin, après avoir créé tant de pauvres, bâtisse un hôpital pour les soigner ». La fondation est doublement célèbre : elle possède en effet d'une part le splendide retable du *Jugement Dernier* de Rogier van der Weyden; par ailleurs, une partie de vignobles fameux comme ceux de Pommard et de Volnay. La vente aux enchères annuelle des vins des Hospices est un événement mondialement connu. (Ci-contre.)

un siège, un traité ou une bataille quelcon-
que, citons entre autres : Champaubert,
Montmirail, Bar-sur-Aube, Vitry-le-
François, Saint-Dizier, Mourmelon, Lan-
gres. Brienne vit la montée et le déclin de
Napoléon : en tant que jeune militaire,
celui-ci y fit ses études et pendant la bataille
de France, en 1814, il y remporta une de ses
dernières victoires.

La Bourgogne est un autre pays vinicole.
Il est impossible de marcher bien longtemps
sur les collines avoisinantes sans rencontrer
une vigne qui a appartenu, il y a longtemps,
à une puissante abbaye. La plus célèbre fut
l'abbaye de Cîteaux qui gouverna toute la
Bourgogne. Son prestige était si grand
qu'elle établit 12 000 succursales à travers le
monde et que quatre papes furent cisté-
riens. L'abbaye de Cluny dominait aussi un
vignoble, son monastère étant à une époque
le centre spirituel le plus important de toute
la chrétienté.

Parcourir la région est comme feuilleter
une carte des vins : Chambertin, Nuits-
Saint-Georges, Pommard, Meursault, Mon-
trachet. Passant devant le fameux Clos-
Vougeot avec ses troupes, le duc d'Aumale
ordonna à celles-ci de présenter les armes
au noble vignoble. Une autre institution
vinicole : l'Hôtel-Dieu de Beaune qui possède une partie des plus célèbres crus de
Bourgogne (Savigny, Pommard, Volnay) et
où se tient la vente aux enchères annuelle.
A cette occasion, le monde entier se
retrouve à Beaune.

Lorsque la saison des vendanges approche, chaque colline se réjouit. Pour les
Bourguignons, une partie de plaisir s'annonce.

Pendant plus d'un siècle, les grands ducs
de Bourgogne ont rivalisé de puissance et
d'influence avec les rois de France. Ils
s'allièrent aux Anglais pour dépecer le
royaume de France. Dijon conserve un air
grandiose, avec son palais des ducs de
Bourgogne, qui forme le centre de la ville,
et abrite actuellement le Musée des Beaux-
Arts. Néanmoins, le plus remarquable
monument de Dijon est l'église Notre-
Dame, parfaite expression du style gothique bourguignon, datant du XIIIe siècle. Au-
dessus d'un porche délicat, trois rangées de
fausses gargouilles cauchemardesques
fixent et narguent le passant étonné.

Il y a des vignobles en Champagne depuis
toujours, semble-t-il. Au Moyen Age les com-
munautés religieuses s'en occupaient avec grand
soin. Pourtant ce n'est que vers la fin du règne de
Louis XIV que Dom Pérignon, cellérier de
l'abbaye bénédictine d'Hautvillers, né à Sainte-
Menehould, découvrit, après de nombreux
déboires, le secret qui lui permit d'obtenir un vin
stable, limpide et mousseux : « le vin des rois et
le roi des vins ».

Le vignoble de Champagne a une longueur de
quelque 150 km et s'étend sur une largeur
variant de 300 m à 2 km. Les caves, dans un banc
de craie imperméable, couvrent plus de 200 km;
leur profondeur varie entre 20 et 30 m. Nous
voyons ici un des aspects du vignoble de la
Maison Moët et Chandon.

De goût délicat, pétillant, léger, le champagne est le reflet de l'esprit français et l'un de ses
meilleurs ambassadeurs. (A droite.)

A Arc-et-Senans, près de Besançon, on peut voir d'extraordinaires bâtiments qui font partie d'un ambitieux projet tout à fait original qu'un architecte du XVIIIe siècle, Nicolas Ledoux, avait conçu pour une des salines royales de Louis XVI : tout le sel du royaume appartenant au roi et étant une source de revenus importante pour le Trésor.

Ledoux avait établi les plans fonctionnels d'une cité industrielle *idéale* prévue en forme de cercle, dont une moitié seulement fut réalisée de 1775 à 1779. Cet architecte *visionnaire* avait aussi construit les pavillons d'octroi des portes de Paris, dont quatre subsistent aujourd'hui. On doit également à Ledoux le Théâtre de Besançon, construit de 1778 à 1781. *(Ci-dessous.)*

La Confrérie des Chevaliers du Tastevin se rassemble en novembre pour décider quels sont les vins de l'année qui méritent leur recommandation. Fondée en 1934 pour promouvoir les vins de Bourgogne, cette Confrérie a acheté le fameux Château du Clos-Vougeot. C'est là que, dans le Grand Cellier construit il y a quelques huit cents ans par les moines, les Chevaliers festoient en l'honneur des nouveaux « élus », intronisés selon un rituel traditionnel au cours de la première journée des « Trois Glorieuses de Bourgogne ». La deuxième journée se passe à Meursault, centre d'une autre région de vins célèbres. Autour de la table sont assemblés les représentants de tous ceux qui « vivent par le vin », ainsi que des hommes politiques, des ambassadeurs et des hommes de lettres ou de science du monde entier. Tous doivent être connaisseurs et capables d'apprécier à leur juste valeur les vins incomparables — offerts par les vignerons eux-mêmes — qui sont servis accompagnés de la plus haute cuisine. *(Ci-contre.)*

La cathédrale de Reims compte depuis des siècles parmi les plus belles œuvres du monde. C'est la plus tardive d'une série d'édifices religieux bâtis sur le même site depuis que, en 496, l'évêque saint Remi baptisa Clovis, roi des Francs, instituant ainsi la tradition du couronnement des rois de France à Reims.

La cathédrale, lieu du sacre, a donc toujours été étroitement liée au trône. C'est là que Jeanne d'Arc conduisit Charles VII pour le faire sacrer roi de France. La nef, commencée au XIIIe siècle, est immense et pouvait contenir les grandes foules attirées par le sacre. Elle est splendidement illuminée par les verrières hautes et les vitraux de la façade.

La richesse de la décoration est incomparable : la façade, à elle seule, comporte plus de 500 statues, et les anges de Reims sont célèbres pour leur sérénité souriante, surtout celui du porche nord dit « le sourire de Reims ». *(A gauche.)*

Le Jura s'étend en un croissant de montagnes
et de vallées sur plus de trois cents kilomètres.
Les sommets ne sont ni déchiquetés comme ceux
des Alpes ni arrondis comme ceux des Vosges,
mais se déploient plutôt comme une série de
« vagues fossilisées » qui se terminent abrupte-
ment vers la Suisse et descendent par masses
vers la vallée de la Saône. C'est un paysage tout
de verts : le vert foncé des forêts où le pin
domine et le vert vif des vastes prairies; d'eaux :
le Rhône, le Doubs, l'Ain et leurs affluents
étendant leurs ramifications partout en cascades,
torrents ou *résurgences* qui contrastent avec les
eaux immobiles de près de soixante-dix lacs. Les
habitants demeurent dans des petits villages
isolés les uns des autres; pour vivre l'hiver, une
partie de la population montagnarde participe à
la vie industrielle de cette région : horlogerie,
fabrication des pipes, travail du bois et lunette-
rie. Il y a des vignobles dans le Jura mais du vin
d'Arbois il est dit :« Le bon vin d'Arbois dont on
ne boit qu'un verre à la fois ».

Le produit célèbre du Jura est son fromage, le
Comté, fabriqué dans des coopératives, les
« fruitières », qui existaient déjà au XIIIe siècle.
Un autre fromage franc-comtois se doit aussi
d'être cité : la *cancoillotte. (Ci-dessus.)*

Pour imaginer l'apparence et l'atmosphère
d'un monastère cistercien au Moyen Age, il n'est
pas de meilleur endroit que Fontenay, en Côte
d'Or, lieu isolé dans un cadre naturel admirable.
L'abbaye et les bâtiments conventuels illustrent
parfaitement l'idéal monastique du fondateur
Bernard de Cîteaux et la réforme cistercienne de
la règle bénédictine qui s'était relâchée et
amollie. Tout cela se révèle dans l'architecture
très sobre — un miracle de majesté austère —
qui fut le modèle de la plupart des bâtiments
cisterciens. Les bâtiments conventuels donnent
une idée précise de la vie d'une abbaye cistercienne au XIIe siècle : organisation que l'on
retrouve dans plus de sept cents monastères qui
apparurent alors rapidement dans le monde
occidental et même jusqu'en Syrie. *(A droite.)*

ALSACE ET LORRAINE

Provinces jumelles dans l'esprit de tous les Français et pourtant si différentes, l'Alsace et la Lorraine sont séparées de l'Allemagne seulement par le Rhin et par les Vosges. Si elles semblent parfois germanisées, elles sont pourtant passionnément françaises. Régions frontières occupées tour à tour par les Gaulois et les Germains, l'Alsace et la Lorraine ont un charme tout particulier dû au mélange des sangs et des coutumes de ces deux races.

Les trois fils de Louis le Débonnaire, fils de Charlemagne, causèrent bien des ennuis futurs lorsqu'ils divisèrent en trois parties l'empire de leur aïeul. L'Alsace échut à Lothaire; l'un de ses successeurs se vit ravir la province par un prince germanique et l'Alsace fut gouvernée, directement ou indirectement, par des souverains germaniques pendant quelque sept siècles. Au cours d'une aussi longue période, la population franque d'origine devint peu ou prou germanisée. Mais les idées d'indépendance furent toujours vives : l'Alsace fut rattachée au royaume de France en 1648 et la ville libre de Strasbourg, en 1681. Ce ne fut d'ailleurs pas le résultat d'une conquête : les princes germaniques offrirent l'Alsace à la France, en échange de l'aide de celle-ci pour lutter contre l'Autriche. Les liens avec la France demeurèrent fragiles jusqu'à la Révolution, qui fut accueillie avec enthousiasme par les Alsaciens, d'esprit progressiste. Il est d'ailleurs symbolique que la *Marseillaise* ait été écrite dans la capitale alsacienne. En avril 1792, l'Armée du Rhin, mobilisée à Strasbourg, était sur le point de partir au combat. Le maire, Frédéric de Dietrich, donna un dîner d'adieu aux officiers et déclara : « Nous aurions besoin d'un chant de marche, d'un chant d'enthousiasme ». Un jeune officier du génie — connu pour ses talents de poète et de musicien — Rouget de Lisle, composa fébrilement et interpréta lui-même le *Chant de Guerre de l'Armée du Rhin* qui devint la *Marseillaise*.

Au carrefour de la Gaule et de la Germanie, Strasbourg formait un rond-point qui subit l'occupation romaine, les ravages des Huns et de nombreuses guerres au cours de son histoire, mais ses habitants furent une race de bâtisseurs. Au Moyen Age, le légendaire Erwin de Steinbach et Jean Hultz de Cologne édifièrent la grande cathédrale de granit rose dont le clocher,

haut de 142 m, domine toute la plaine alsacienne. Ce chef-d'œuvre gothique est connu également pour son extraordinaire horloge astronomique où apparaît une série de figures mobiles : les divinités présidant aux sept jours de la semaine, le Christ, les douze apôtres, les quatre âges de la vie, la mort, jouant toutes leur rôle déterminé par le prodigieux mécanisme de l'horloge. Non loin de la cathédrale, le quartier nommé « la petite France » a heureusement conservé tout son charme d'antan : des ponts couverts enjambant la rivière Ill, des brasseries sombres et fraîches, des auberges richement décorées où l'on peut goûter une choucroute, abondamment garnie de saucisses, de jambon et autres viandes.

Capitale de l'Europe où se tient le Parlement des Neuf et ville industrielle, Strasbourg est le point de départ idéal pour sillonner la route des vins d'Alsace. Cette route passe à la base des Vosges et va jusqu'à Colmar. Septembre et octobre sont les mois les plus actifs : 30 000 familles et des aides se retrouvent dans le vignoble, pour les vendanges, auprès des villes comme Ribeauvillé et Riquewihr. Cette riche plaine d'Alsace, où les vignes alternent avec les plantations de houblon et de tabac, est parsemée de villages ravissants, de châteaux imposants et de villes non seulement attrayantes, mais très gaies.

Colmar est le sourire de l'Alsace. Derrière chaque fenêtre aux blancs rideaux, il y a une histoire, une histoire alsacienne qui varie peu : des heures de bonheur, des mariages, des naissances, des veillées familiales où les chansons accompagnent la dégustation des gâteaux traditionnels, le kouglof et la tarte à la crème et à la cannelle. Mulhouse, au sud, est la troisième ville importante d'Alsace, renommée pour ses filatures et ses tissages. Ce fut la marquise de Pompadour qui lança Mulhouse : elle mit les toiles imprimées à la mode. Non loin se trouve un riche gisement de potasse : quelle image impressionnante de la réussite industrielle de l'Alsace, que de voir ces hautes cheminées cracher sans fin une fumée noire ! Mais on peut quitter cette région manufacturière pour jouir d'un autre paysage merveilleux : la Route des Crêtes, construite le long du front de la Guerre de 1914-18, de Thann au col de la Schlucht. Cette région d'Alsace est égale-

ment liée à un nom célèbre : le pasteur-médecin Albert Schweitzer naquit dans la charmante localité de Kaysersberg, hérissée de nids de cigognes.

Ces échassiers symbolisent en effet l'Alsace. En 1944, Ostheim, à quelques kilomètres au sud de Sélestat, était complètement détruit. Seul un pan de mur était debout : une ancienne maison d'habitation dont la cheminée supportait toujours un nid de cigogne. Ce fut pour les villageois une lueur d'espoir : ils se mirent aussitôt à l'ouvrage pour reconstruire leurs foyers.

Dominant la plaine d'Alsace, le plateau de Lorraine, dont les villages se serrent autour des clochers, offre un contraste avec le paysage sauvage des crêtes. Les Vosges sont arrondies, accidentées et ondulées; le ballon de Guebwiller, leur plus haut sommet, culmine à 1424 m seulement. Les vallées des Vosges ont été creusées par d'énormes glaciers qui ont laissé de grands lacs, comme celui de Gérardmer. Avec ses magnifiques forêts découpées par des torrents, la Lorraine est une région agricole, parsemée de stations thermales comme Vittel, Contrexéville, Plombières.

Au pied des Vosges s'étend Épinal dont les images populaires richement coloriées sont célèbres. Leur impression débuta à la fin du XVIIIᵉ siècle et certains bois à graver sont toujours utilisés ! Beaucoup d'images d'Épinal véhiculaient des sujets populaires traditionnels : représentations de saints pour écarter les accidents et les maladies du foyer; puis, contes de fées pour amuser les enfants et scènes guerrières pour leur enseigner le patriotisme — avec toujours un sens moral ou religieux.

Dans l'est de la Lorraine se trouve Nancy : sa splendeur est due au roi Stanislas de Pologne, dont la fille épousa Louis XV, en 1725. Près de Neufchâteau, c'est la terre natale de Jeanne d'Arc, de Jeanne la Lorraine : elle est née en 1412 à Domrémy où elle entendit des voix lui commandant de sauver la France. Quel glorieux destin pour une petite bergère lorraine ! Près de Chaumont, dans la Haute-Marne, et peu loin de la terre lorraine, un autre grand patriote a vécu et est aujourd'hui enterré : Charles de Gaulle, qui repose dans le cimetière de Colombey-les-Deux-Églises.

Les villes et villages d'Alsace ont gardé vivant leur folklore; les jours de fêtes, la population sort costumée traditionnellement : grands nœuds de taffetas noir qui donnent aux femmes un air de papillon et, pour les hommes et les femmes, des habits noirs et rouges. Les habitants célèbrent peut-être, comme ici à Riquewihr, la fin des vendanges ou comme à Thann, en juin, les *Trois Sapins* où trois arbres sont brûlés sur la Grand-Place en commémoration de la fondation miraculeuse de la ville; ou encore, comme à Ribeauvillé, le *Pfifferday* ou jour des fifres : la corporation des musiciens ambulants se rassemblait en août pour rendre hommage à leur seigneur, le Sire de Ribeaupierre. Nous pouvons voir ici une fête avec de la musique, une procession et imaginer surtout la dégustation de vin gratuite sur la place de la mairie, au « Café de la Fontaine de Vin ». *(Ci-dessous.)*

Les cigognes font partie du folklore de l'Alsace; elles passent pour porter bonheur et sont donc attendues avec impatience chaque année, et cela d'autant plus que leur nombre a grandement diminué ces dernières années sans que l'on sache pourquoi. En 1969, vingt-deux cigognes seulement furent dénombrées.

Si un couple de cigognes choisissait votre cheminée pour y bâtir son nid, vous seriez — si vous étiez Alsacien — si content que vous ne penseriez pas un instant à allumer un feu qui pourrait déranger les oiseaux.

Les cigognes arrivent en mars et annoncent leur arrivée par des claquements de bec répétés. Le mâle se met immédiatement à consolider son nid de l'année précédente avec des brindilles et un coussin de terre; il peut atteindre un mètre de haut et deux mètres de large. Vers la mi-août, les oiseaux de toute l'Alsace se rassemblent en deux points pour la grande migration vers les pays chauds.

De nombreuses mesures ont été prises pour attirer un plus grand nombre de cigognes en Alsace : des nids artificiels ont été bâtis, des oisillons ont été importés du Maroc et d'Algérie. Et les habitants, qui ont une réelle affection pour leurs oiseaux familiers, espèrent revoir les grands vols d'autrefois. *(Page 80, à gauche.)*

Cette statue représente la Synagogue vaincue et les yeux bandés, elle se dresse à droite du double porche du transept sud. A gauche, se trouve la statue de l'Église triomphante. Ces deux figures de femmes ont une attitude d'immobilité presque totale qui leur confère une extraordinaire dignité et une sérénité encore accentuée par les plis obliques des draperies qui laissent à peine deviner un long corps souple. Cette gracieuse présence, dont émane de façon inexplicable une puissance certaine, illustre la pureté de la statuaire gothique du XIIIe siècle. *(Page 80, à droite.)*

Turckheim, comme Riquewihr, est célèbre pour ses vignobles qui sont plantés tout au long de l'éperon calcaire qui court en contrebas des Vosges : bien orientés, recevant peu d'eau, ils produisent différents vins très connus : le Riesling charnu et pourtant subtil, le velouté Gewurtztraminer, le Muscat d'Alsace sec et fruité, le Pinot gris riche et puissant, et le Sylvaner; tous sont vendus dans de longues bouteilles au col étroit, typiques de l'Alsace.

A l'époque des vendanges, les longs chariots chargés de cuves vont et viennent des vignes aux pressoirs tandis que les raisins sont récoltés dans de grandes hottes portées à dos d'homme jusqu'aux chariots.

Les vignes sont plantées à flanc de coteau ou en terrasses dans cette région et s'entortillent autour de longs pieux qui donnent aux vignobles un aspect rappelant celui des champs de houblon voisins. Le rythme des toitures est fascinant : les tuiles usées par le temps forment un dessin irrégulier d'un brun roux qui se mêle parfaitement au paysage environnant. *(Page 80, en bas.)*

Colmar est une ville alsacienne traditionnelle aux rues étroites bordées de maisons de bois sculptées et décorées, aux toits pointus. C'était un lieu fréquent de séjour pour Charlemagne que la *Villa Columbaria* dont le pigeonnier, *columbarium*, devint *columbra*, puis Colmar et donna son nom à la ville. La ville, témoin d'innombrables combats, fut nommée « la fidèle » lorsque pendant la Première Guerre mondiale elle resta résolument attachée à la France, malgré l'emprisonnement et la déportation d'une partie de sa population. En 1945, les Forces Françaises libres refusèrent de bombarder la ville avant de s'en emparer, grâce à quoi aucun des bâtiments ne fut touché. Et ces bâtiments sont charmants : la maison Pfister qu'un fabricant de chapeaux se construisit au XVIe siècle, avec des pignons et un balcon de bois qui en fait le tour; la Maison des Têtes, une belle demeure Renaissance décorée de nombreuses têtes sculptées sur la façade.

Deux des ponts sur la Lauch offrent une très jolie vue sur la Petite Venise où saules pleureurs et vieilles maisons se penchent vers l'eau.

Colmar est très pittoresque mais ce qui en fait aussi la célébrité est le musée Unterlinden qui possède l'une des plus grandes peintures du monde : le *Retable d'Issenheim* de Mathias Grünewald dont la terrible Crucifixion réaliste et pré-expressionniste s'oppose à l'exquise Annonciation. *(Page 81.)*

Mulhouse, deuxième ville d'Alsace après Strasbourg, est un centre industriel sur l'Ill et, plus important, sur le canal du Rhône au Rhin. Son industrie textile est fameuse et son Musée de l'Impression sur étoffes est unique en Europe avec une collection de huit millions d'échantillons.

A peu de distance se trouve le Territoire de Belfort, pays au statut indépendant spécial, qui commande la « trouée de Belfort » entre Vosges et Jura, et Rhin et Rhône, trop souvent utilisée par les vagues successives d'envahisseurs. Vauban, le grand architecte militaire de Louis XIV, construisit là son chef-d'œuvre : les fortifications furent assez puissantes pour permettre à la ville de résister à plusieurs sièges dont celui de 1870-1871: ce dernier est commémoré par l'impressionnant *Lion de Belfort* sculpté par Bartholdi et placé au pied de la citadelle. *(A droite.)*

Déjà ville importante du Duché de Lorraine au XIe siècle, ce n'est pourtant qu'au XVIIIe siècle, lorsque Stanislas roi de Pologne et beau-père de Louis XV vint y résider, que Nancy devint le modèle d'urbanisme racé que nous connaissons aujourd'hui.

La Place Stanislas, conçue par Emmanuel Héré au centre de la ville, est fermée par de splendides grilles en fer forgé doré; chefs-d'œuvre de Jean Lamour qui lui demandèrent huit années de travail.

Ces entrelacs et motifs ornementaux exquis ajoutent une aimable exubérance aux dignes façades des palais de pierre que l'on entrevoit à travers le feuillage d'or. *(Ci-dessous.)*

FLANDRE, ARTOIS ET PICARDIE

Le Nord de la France, proche de la Belgique, de la Hollande et de l'Angleterre, est un important axe de communication européen, par chemin de fer, par route ou par mer. C'est une région dont les anciens combattants des deux guerres mondiales se souviennent : la Somme, Arras, Dunkerque.

Les ports de la Manche, Dunkerque, Calais et Boulogne, sont assez proches des côtes anglaises : leur activité actuelle, souvent fiévreuse, ne s'est pas limitée au temps de paix. Ces trois ports ont été l'enjeu de batailles navales et ont toujours eu une grande importance stratégique : les Français, les Anglais, les Espagnols, et les Hollandais s'y sont souvent battus.

Près de la frontière belge, Dunkerque a successivement appartenu à ces différentes nations. Port fortifié, Dunkerque fut la patrie de Jean Bart, ce marin qui devint « corsaire du roi » et se mit en service de la France : pour le récompenser Louis XIV, l'anoblit. Mais Dunkerque est connu aussi pour avoir été le lieu de la retraite britannique et française en 1940 : des yachts, des embarcations à moteur de toutes catégories, en un mot tout ce qui pouvait flotter fut utilisé pour évacuer quelque 350 000 hommes cernés par la Wehrmacht.

Calais est le port le plus important de la côte et constitue un des axes transversaux importants de plusieurs lignes de chemin de fer européennes. Ce fut une ville fortifiée et une avancée militaire et commerciale anglaise, de 1347, lorsque Édouard III reçut six bourgeois qui, la corde au cou, offraient leur vie pour éviter la destruction de la ville, à 1558, lorsque le duc de Guise reprit Calais aux Anglais.

En 1805, Boulogne devint le centre choisi par Napoléon pour tenter d'envahir l'Angleterre. Devenu aujourd'hui un port de pêche important, Boulogne marque le début de la Côte d'Opale, cette succession de criques sablonneuses d'où se détachent Berck, bien connu pour le traitement des maladies des os, Le Touquet-Paris-Plage, station balnéaire particulièrement élégante.

La Flandre qui s'étend de la mer du Nord aux Ardennes, est le prolongement français du « plat pays » que chante Jacques Brel, d'où émergent les grands centres industriels (textile, métallurgie) de Lille - Roubaix - Tourcoing, de la vallée de la Sambre, des mines de charbon du *Pays noir :* de Douai à Valenciennes.

Le Nord est une région de France qui compte parmi les plus gaies : les fêtes patronales, les kermesses servent de prétexte à d'énormes défilés, à des processions, à des ventes de charité, à des danses et à des festins. Les gens du Nord aiment beaucoup les divertissements collectifs. Il existe des associations d'archers, d'oiseleurs, de joyeux buveurs; il existe des chœurs et des orphéons un peu partout : le plus petit village a au moins une fanfare sinon deux.

Une coutume régionale typique était constituée par les combats de coqs. Le dimanche, on pouvait voir des hommes, portant un coq sous le bras, se presser vers un enclos où l'attendaient déjà avec impa-

tience ses amis. La rencontre entre les coqs durait tout l'après-midi.

Comme la Belgique et la Flandre hollandaise, cette région appartenait à l'origine aux Comtes de Flandres, puis plus tard aux Ducs de Bourgogne. C'est pourquoi on peut voir à Lille, surtout dans la Rue de la Monnaie, des traces évidentes d'influence flamande : ce sont des maisons où habitaient de riches bourgeois du XVIᵉ siècle. A Douai, l'Hôtel de Ville possède un beffroi flamand dont le carillon sonne le joyeux « air du Gayant », en l'honneur du géant légendaire dont l'effigie en osier est promenée dans les rues le 6 juillet. Quant à Valenciennes, son nom est lié depuis le XVIᵉ siècle à l'exquise dentelle flamande : la *valenciennes*. Enfin, Arras possède un très bel Hôtel de Ville du XVIᵉ siècle (restauré scrupuleusement, en particulier après la Première Guerre mondiale) et deux places d'une belle et sobre architecture du XVIIᵉ siècle connues sous les noms de Grande et Petite Places.

Au sud, la Picardie forme une riche région de culture et d'élevage. Sa capitale, Amiens, s'élève au milieu d'un des quelque quinze bras de la Somme. Ce serpent d'eau douce qui se ramifie en plusieurs canaux donne au sol une exceptionnelle fertilité.

Conquis sur les marais et tourbières, les florissants jardins picards sont connus sous le nom d'*hortillonnages*.

Située au nord du Bassin Parisien, et sans doute la plus vaste du pays, Notre-Dame-d'Amiens est un exemple caractéristique du XIIIᵉ siècle. Elle a inspiré à l'historien d'art Ruskin un livre intitulé, *la Bible d'Amiens*, où il écrit que cette cathédrale est « d'un style d'une pureté absolue; exemplaire, insurpassable et au-dessus de toute critique ». L'intérieur frappe surtout par son immensité et son homogénéité, en particulier la nef plus haute que large dont l'architecture est d'une extrême simplicité. Mais ce qui retient l'attention est le chœur, situé légèrement au-dessus de la nef principale et fermé par une grille du XVIIIᵉ siècle à la noble élégance.

Malheureusement, Amiens n'a pas échappé aux désastres des deux guerres (500 bâtiments furent endommagés en 1914-18 et plus de 4 000 en 1939-45). Les guerres ont en effet bouleversé ces paisibles régions plus d'une fois, dans le passé comme au XXᵉ siècle. Mais ses habitants aiment trop leur pays pour le laisser défiguré longtemps. La Flandre, l'Artois et la Picardie sont aujourd'hui des régions aussi belles et actives qu'avant.

Premier port de pêche de France et centre commercial important, Boulogne est situé à la limite de la Manche et du Pas-de-Calais, au pied et sur les flancs de deux collines. La Ville Basse, avec le port et le quartier commercial, a été reconstruite après sa destruction presque totale au cours de la dernière guerre. Là, les bateaux de pêche aux couleurs vives déchargent des tonnes de harengs, maquereaux et autres poissons.

En face se trouve le port des passagers qui s'embarquent pour l'Angleterre.

La Ville Haute est enclose de remparts du XIIIᵉ siècle que domine le Château, une masse octogonale impressionnante avec de vastes souterrains : la Barbière. *(Ci-dessus.)*

Les célèbres Bourgeois de Calais, représentés par le sculpteur Rodin en un groupe fameux d'un réalisme saisissant, s'offrirent en otage au roi d'Angleterre Édouard III afin de sauver leur ville après son siège et sa prise, en 1347, par les Anglais.

Le beffroi, reconstruit au XXᵉ siècle dans le style flamand de la Renaissance, symbolise ici — comme dans toutes les villes du Nord — les libertés communales si chèrement achetées et défendues au cours d'une histoire trop souvent tragique. *(A gauche.)*

L'une des plus vastes cathédrales gothiques, Amiens, fut construite pour recevoir le chef de saint Jean-Baptiste rapporté de Constantinople en 1206, après la fin de la quatrième croisade. Pour la plupart, les noms des bâtisseurs de cathédrales nous sont inconnus, mais celui de Robert de Luzarches nous est parvenu : il fut le maître d'œuvre de cet édifice, construit de 1220 à 1269. L'intérieur de la cathédrale comporte une nef principale, deux nefs latérales; la hauteur de la voûte atteint 42,30 m et l'ensemble du vaisseau est illuminé par trois belles rosaces et de larges verrières.

Extérieurement, la cathédrale comporte d'admirables sculptures du XIIIe siècle comme celles de la Galerie des Rois et du Beau Dieu. (A gauche, en bas.)

Ici, dans l'estuaire de la Somme, c'est le sable qui est le grand vainqueur dans la bataille continuelle qui oppose mer et terre. Ce paysage insolite, tout en gris et bleus voilés, offre de nombreuses possibilités au visiteur : traversées à pied à marée basse, exploration en bateau des bancs de sable horizontaux qui barrent l'estuaire et où les poissons plats abondent, pêche à la crevette grise, la *sauterelle* comme on l'appelle ici, ou en automne, la chasse au canard à partir de bateaux à fond plat ou de huttes construites sur les bancs sablonneux.

A l'intérieur des terres, la Somme est un fleuve paresseux, trop étroit pour son lit que les alluvions ont rempli, formant un sol riche où les cultures maraîchères, ou « hortillonnages », sont exploitées intensivement. (A droite.)

Un paysage plat et monotone — interrompu seulement par des sortes de collines irrégulières de déchets de minerai, les terrils ou crassiers — dominé par un ciel bas chargé de fumées.

C'est aussi l'une des principales régions agricoles de France : un plateau calcaire, creusé de vallées peu profondes, aux grandes cultures de blé ou de betteraves sucrières, qui forme un paysage mélancolique dans un immense espace de ciel et de terre. (Page de droite, en bas.)

Dans les maisons du Nord, bien briquées, au coin du feu, on mange bien. Et ce sont des aliments riches, succulents, dont la charcuterie est parmi les plus appréciés. Le joyeux charcutier rubicond de cette enseigne nous le démontre. (Ci-dessous.)

PARIS ET ILE-DE-FRANCE

Paris est unique : « Cette ville sans pair, cet abrégé de France », disait un poète du XVIᵉ siècle. Le charme incomparable de Paris et sa personnalité viennent surtout de son site, façonné dans le calcaire et les sables par la Seine et ses affluents au cœur de l'Ile-de-France. Car l'histoire de Paris se confond avec celle de son fleuve s'incurvant au cœur de la ville et enjambé par trente-deux ponts, depuis l'industrieux Bercy à l'est jusqu'au résidentiel Auteuil à l'ouest, et divisant Paris en une rive droite et une rive gauche.

Paris — qui s'appelait Lutèce jusqu'au IVᵉ siècle — a vu le jour dans l'Ile de la Cité, où se dresse la cathédrale Notre-Dame, de style gothique, et la Conciergerie, reste de la résidence des souverains capétiens de France. Pourtant, en 1527, François Iᵉʳ annonça qu'il allait installer la demeure royale dans un nouveau palais à construire au cœur de Paris : le Louvre, aujourd'hui transformé en un très grand musée mondialement connu. Quant au roi Louis XIV, le Roi Soleil, il préféra marquer sa grandeur en transportant sa cour, qui s'élevait à quelque vingt mille personnes en 1682, à Versailles ; ce zénith de la monarchie française situé à 23 km de Paris.

Ce fut Napoléon Iᵉʳ dont l'emprise sur le pays fut confirmée lorsqu'il devint Empereur en 1804, qui fit de Paris le pivot de la vie politique, administrative, économique et culturelle de la France. Cette prédominance de Paris dans la vie française est toujours vraie de nos jours puisque quelque 20 % de la population française vit sur 2,5 % du territoire.

Comme tant de beautés et de curiosités sont concentrées en si peu d'espace, on n'est jamais perdu à Paris, où les 300 m de la célèbre tour Eiffel se dressent à l'horizon. Paris est une ville homogène : on peut s'y promener longuement sans avoir à prendre le métro ; on peut ainsi passer, en moins d'une heure, des Tuileries, ce parfait exemple de jardin « à la française » sur la place de la Concorde, avec son obélisque égyptien entre ses deux fontaines du XIXᵉ siècle rappelant celles de Rome, puis déambuler sur les Champs-Elysées, cette artère unique au monde bordée d'alléchantes terrasses de cafés, pour aboutir à l'Arc de Triomphe. On aura parcouru ainsi une partie essentielle de Paris.

Ce que les Parisiens aiment par-dessus tout — et dont les visiteurs deviennent rapidement fanatiques — c'est « traîner » dans la ville sans but précis ; flâner le long de la Seine ou prendre un « bateau-mouche » ; se recueillir dans le calme de ravissantes églises comme la Sainte-Chapelle, merveille gothique avec ses fabuleux vitraux, Saint-Germain-des-Prés, dont le nom évoque de grandes heures intellectuelles de Paris, ou Saint-Séverin, au cœur de la rive gauche, avec ses rues étroites, ses antiquaires, ses restaurants et ses cafés ; admirer le Marais, avec sa « perle » : la Place des Vosges, square entouré d'hôtels du début du XVIIᵉ siècle en pierres roses et blanches ; s'émerveiller devant les devantures de mode, faubourg Saint-Honoré ou avenue de l'Opéra ; grimper les escaliers un peu raides conduisant à Montmartre où s'élève le Sacré-Cœur, de couleur crayeuse et, de là, avoir un coup d'œil incomparable sur la Ville Lumière.

Autour de Paris s'étend l'Ile-de-France, « un jardin de fleurs et de pierre ». C'est une région où l'air est tendre, où le ciel est changeant, où les douces collines se mêlent aux très grandes forêts. Cette terre fut autrefois un vaste domaine royal où la Cour résidait et venait chasser.

Au sud, la forêt de Fontainebleau : l'une des plus belles de France et peut-être du monde. Ses tertres rocailleux, ses vallées chaotiques, la rendent si romantique que, au siècle dernier, les fondateurs de l'« École de Barbizon » (Millet, Corot, Théodore Rousseau, notamment) venaient peindre à Fontainebleau, non pas à cause de son château, mais pour la verdure mouvante et la lumière dansant sur les feuilles de sa forêt.

Au nord, la charmante localité de Compiègne est également entourée par une vaste forêt aux chênes noueux et aux hêtres rouges, où se niche un palais classique (résidence favorite de Napoléon Iᵉʳ) construit par Gabriel. Senlis, et ses maisons blanches et agréables et sa petite mais si harmonieuse cathédrale, se situe juste entre Compiègne et Chantilly, réputée à la fois pour son château aux riches collections, sa crème et ses courses de chevaux.

A l'ouest, deux autres forêts : Rambouillet, dont le château est converti en résidence et lieu de chasse du Président de la République française, et Saint-Germain-en-Laye, dont la célèbre terrasse permet de contempler la vallée de la Seine sur une distance de deux kilomètres. Juste entre ces deux forêts se trouve Versailles, dont les jardins de Le Nôtre, à eux seuls, mériteraient une visite. Quel superbe écrin pour le palais grandiose, où trois Louis de France ont successivement vécu, et pour le Petit Trianon où Marie-Antoinette, épouse du dernier, jouait à la bergère. Mais l'année 1789 mit un terme à cette somptueuse époque.

Avant la Révolution française, la basilique gothique de Saint-Denis était la nécropole des rois de France. A l'intérieur se voient toujours des « gisants », qui portent les effigies sculptées de souverains, tels Louis XII, Anne de Bretagne, François Iᵉʳ, Claude de France, Henri II et Catherine de Médicis. Proche de la capitale, Saint-Denis annonce la série des banlieues industrielles (Aubervilliers, Saint-Ouen et Clichy) dont le développement, d'année en année, va croissant. En revanche, il existe ailleurs des coins ravissants en Ile-de-France : il est impossible de les mentionner tous ici ! La charmante vallée de la Bièvre qui abrita les amours de Victor Hugo et Juliette Drouet ; Fontenay-aux-Roses et l'Haÿ-les-Roses et leurs jardins de fleurs ; Robinson et ses « guinguettes » ; Sèvres et sa manufacture de porcelaine ; Mantes-la-Jolie baignée par la Seine ; La Malmaison où la première femme de Napoléon, Joséphine, résida et mourut. Et tant d'autres à découvrir.

Cependant, le symbole de ce cœur de la France est certainement Chartres : sa silhouette imposante, dont on ne se lasse jamais, surgit de la grande plaine de la Beauce, avec ses deux tours jumelles — l'une romane et l'autre gothique — se découpant sur le ciel, comme des bornes indiquant la limite sud de l'Ile-de-France.

Existe-t-il une meilleure façon de passer les heures d'un dimanche d'automne que de flâner sur la rive gauche de la Seine au milieu de l'un des plus beaux décors du monde ? La somptueuse rosace de Notre-Dame apparaît entre les arbres qui poussent le long de l'eau. Faire toute cette beauté sienne en se promenant sans hâte parmi les boîtes des bouquinistes qui sont fixées sur le parapet des quais de la Seine est l'un des plus grands plaisirs que Paris puisse offrir. En effet les bouquinistes, installés là depuis le siècle dernier, offrent leurs marchandises variées : livres de toutes sortes, gravures anciennes et modernes, vieilles revues, timbres-poste et cartes postales anciennes. *(Ci-dessus.)* — Plaque *modern style* de l'entrée extérieure d'une station. *(A gauche.)*

De la Terrasse du Bord de l'Eau qui marque
l'entrée du Jardin des Tuileries (dessiné par Le
Nôtre au XVIIᵉ siècle et appelé « un salon de
plein air »), la merveilleuse perspective de la
Concorde et des Champs-Elysées se déploie vers
l'Arc de Triomphe depuis le ravissant Arc du
Carrousel, imité de celui de Constantin qui
existe toujours à Rome, commandé par Napoléon pour célébrer ses triomphes et parce que
Paris « a besoin de monuments ».

La Place de la Concorde était, à l'origine,
entourée de fossés; elle fut dessinée par Gabriel
à la demande du roi. Lorsque de place Louis
XV, elle devint Place de la Révolution, l'écha-
faud remplaça la statue équestre du Roi. Ce fut
en 1795, après la Révolution, qu'elle prit le nom
de Place de la Concorde. L'obélisque en son
centre provient d'un temple de Ramsès II à
Louqsor. Cette place forme un ensemble qui est
peut-être la meilleure expression d'une certaine
harmonie française, à la fois légère et rigou-
reuse. *(Ci-dessus.)*

Au cœur du Marais, sur la rive droite, se trouve l'ancienne Place Royale, devenue Place des Vosges en 1800. Commencée sous le règne d'Henri IV, elle représente le premier effort pour apporter ordre et lumière au chaos de la vieille ville. Elle est aujourd'hui, comme à l'origine, d'un même style : briques roses avec pierres de taille angulaires et amples toits d'ardoise surmontant des rez-de-chaussée en arcades. Le pavillon du Roi se trouvait au-dessus de la porte centrale sud, celui de la Reine exactement en face. Sous Louis XIII et Louis XIV, c'est là que la société élégante habitait; société finement raillée par Molière dans les *Précieuses Ridicules*. Au centre du square se dresse la statue équestre de Louis XIII, sous le règne duquel les constructions furent achevées. Victor Hugo habita au numéro 6 : c'est maintenant un musée. La Place des Vosges est l'une des plus belles places de Paris et du monde. (*A gauche.*)

Autrefois, la Butte Montmartre était couverte de moulins à vent et une succession d'ânes montaient le blé le matin et, le soir, descendaient la farine. Renoir vint s'installer à Montmartre et de nombreux peintres y vécurent : de Van Gogh à Utrillo, Picasso et Modigliani. On peut dire que le Mouvement Cubiste prit naissance au Bateau Lavoir.

Des cabarets célèbres se trouvaient à Montmartre, comme le *Chat Noir* ou le *Lapin Agile*, qui existe toujours. Le chanteur populaire, Aristide Bruant, immortalisé par Toulouse-Lautrec, avait aussi un cabaret fameux, à la Belle Époque.

La Place du Tertre, le matin, est toujours la même charmante place de village à l'ombre du Sacré-Cœur; mais le soir, avec ses cafés, ses artistes « locaux » qui vendent, ou essayent de vendre leurs œuvres, elle devient le vrai centre de la vie touristique de Montmartre. (*Ci-dessus.*)

C'est l'Ile de la Cité, dont la forme de proue est bien connue et est stylisée sur les armes de la ville, qui fut le berceau de Paris. La Tour de l'Horloge et la Conciergerie — seuls vestiges, avec la Sainte Chapelle aux superbes vitraux, du vieux palais royal —, Notre-Dame, les maisons nobles qui flanquent l'entrée de la Place Dauphine, tous ces bâtiments contribuent à l'aspect unique de l'île. Un grand charme s'y ajoute grâce aux bords de Seine, aux Marchés aux Fleurs et aux Oiseaux et au square du Vert Galant — sans oublier la statue équestre d'Henri IV, qui se dresse sur un terre-plein, au centre du Pont-Neuf. Le Pont Neuf est en fait le plus ancien pont de Paris. Commencé sous Henri III, terminé sous Henri IV, il fut longtemps couvert d'échoppes et le centre d'une foule animée d'orateurs, de voleurs, d'acrobates et de jongleurs et même, à une époque plus récente, de peintres. (*Pages suivantes.*)

Notre-Dame de Chartres, « la bergère des champs », appelle les fidèles de partout. La fameuse flèche chantée par Péguy comme « l'épi le plus dur qui soit jamais monté... » apparaît au-dessus des blés qui s'étendent à perte de vue, à plus de vingt-cinq kilomètres : elle est, de là, plus un repère géographique que le haut d'une église — comme un guide pour les milliers de pèlerins qui viennent chaque année. Construite dans un grand élan de foi, aux XIIᵉ et XIIIᵉ siècles, partiellement incendiée trois fois, la cathédrale demeure toujours une aussi glorieuse création.

Ses deux tours, romane et gothique, et le portail royal s'unissent pour former l'une des plus belles façades de l'art religieux français. Le Christ en majesté et les statues-colonnes des Rois et Reines de la Bible sont des chefs-d'œuvre uniques. A l'intérieur, les célèbres vitraux des XIIᵉ et XIIIᵉ siècles, la grande rosace, les deux roses du transept, le vitrail de Notre Dame de la Belle Verrière, diffusent une lumière vraiment céleste — le bleu limpide de Chartres — dans la haute nef de la cathédrale. *(A droite, en haut.)*

Le site était aussi ingrat que possible : un marécage où Louis XIII avait élevé un « pavillon de chasse ». Or le jeune roi Louis XIV, son fils, aimait beaucoup chasser et décida de se fixer à Versailles. Le premier château, autour de la cour de marbre, vit le jour. Mais bientôt ce fut un bâtiment trop modeste... Une seconde demeure royale fut érigée par Le Vau comme un coquillage autour de sa perle. Or maintenant, le Roi Soleil voulait avoir sa cour et son gouvernement auprès de lui dans un palais digne de sa gloire rayonnante. Jules Hardouin-Mansart construisit le troisième palais que nous connaissons aujourd'hui avec ses quelque 1 000 fenêtres et sa façade de près 680 mètres. La Grande Galerie, ou Galerie des Glaces, comporte dix-sept baies cintrées faisant face à dix-sept arcades de glaces sur une longueur de 75 mètres; les plafonds, décorés de peintures de Le Brun, glorifient encore la monarchie absolue.

Les jardins en terrasses avec leurs innombrables fontaines étaient une suite naturelle « disci-plinée » aux splendeurs du palais : Le Nôtre déplaça des collines, détourna des rivières et créa enfin le plus parfait des jardins à la française. *(Ci-dessus.)*

François Iᵉʳ aima beaucoup sa création : le Château de Fontainebleau. Grand amateur de l'art italien, avec lequel il s'était familiarisé au cours de ses rapides campagnes d'Italie, il en avait fait venir des peintres et des sculpteurs, comme Rosso et Le Primatice, pour exécuter les décorations intérieures. Ces artistes restèrent en France après l'achèvement du château et formè-rent l'école connue plus tard sous le nom d'École de Fontainebleau.

Henri IV résida aussi souvent à Fontainebleau d'où il écrivait à sa favorite, Gabrielle d'Es-trées : « De nos magnifiques déserts de Fontaine-la-Belle à mon amour — Je me porte bien, malade seulement du désir de vous voir ».

Plus tard, les rois de France vinrent à Fontainebleau en automne pour y chasser dans l'épaisse forêt qui existe toujours. « Voilà un vrai logis de roi » écrivit Napoléon de Fontainebleau qu'il restaura et embellit. Ce fut là qu'il reçut le Pape Pie VII venu en France pour le sacrer Empereur des Français. Ce fut là, également que, huit ans plus tard, il le retint prisonnier. Mais, surtout, ce fut là que, dans la cour appelée aujourd'hui « Cour des Adieux » au pied du fameux escalier, dit du « fer à cheval », Napo-léon en pleurs dit au revoir à sa fidèle Vieille Garde, en 1814, après sa première abdication. *(A droite, en bas.)*

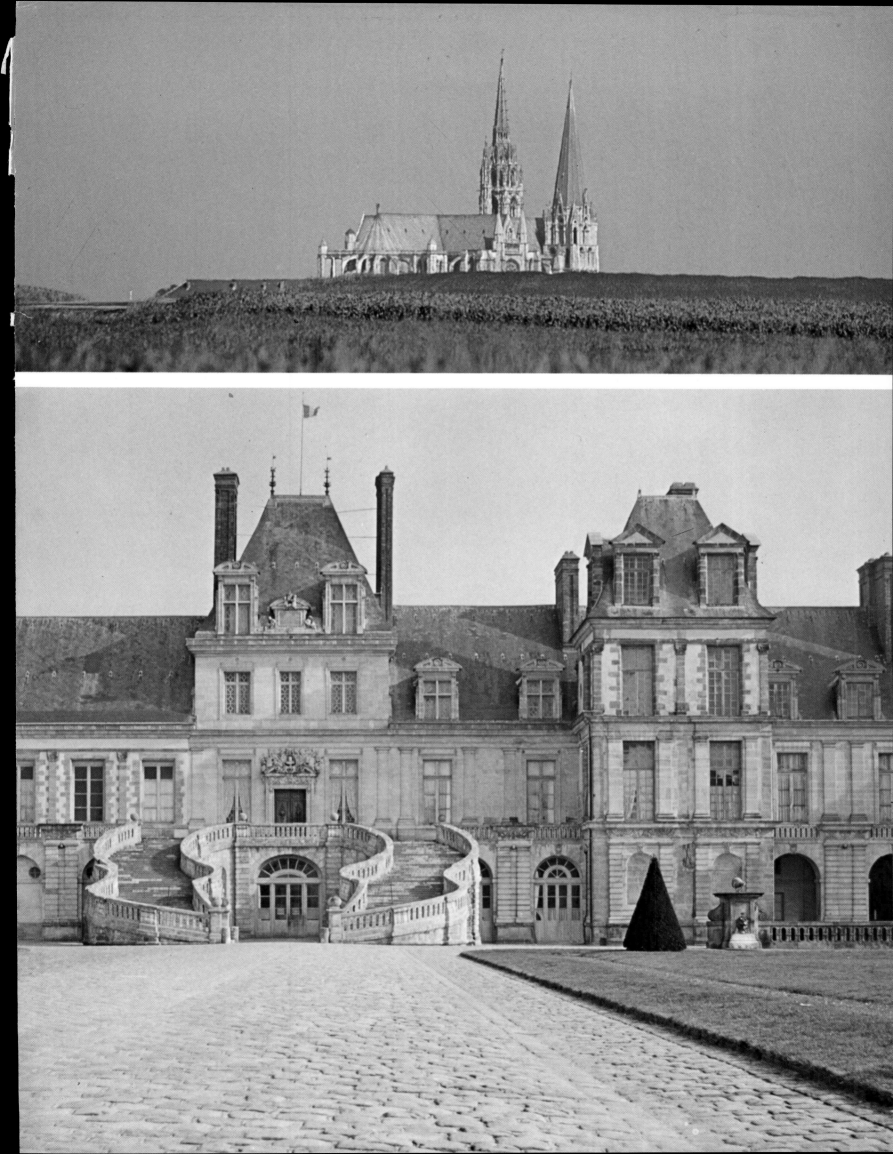

Index

Remerciements

Les éditeurs remercient les personnes et organismes suivants de leur avoir permis de reproduire les photographies de ce livre :

Agence Top (R. Auvin) 42-43, (F. Besnard) 58 bas, (E. Boubat) 40 haut, gauche, 45 haut, 63 bas, 86-87, (J. Charbonnier) 90 bas, (F. Corbineau) 75, (M. Desjardins) 1, 20, 24 bas, 36, (J. Ducange) 80 bas, (G. Ehrmann) 46, (M. Fraudreau) premier plat jaquette, 20-21, 40 bas, (J. Guillard) quatrième plat jaquette, 58-59, (M. Guillard) 13, 26-27, 31 bas, (J. Guillot) 24 haut, 54, 90 haut, 94-95, (R. Guillemot) 80 haut, gauche, (N. Hérout) 2-3, (P. Hinous) 9, 12, 17, 76, (G. Marineau) 87 haut, gauche, (M. Nahmias) 80 haut, droite, (J.N. Reichel) 12-13, 31 haut, 40 haut, droite, 58 haut, 81, 86 bas, droite, 86 bas, gauche, (J. Salmon) 61, 75, (R. Tixador) 63 haut, (A. Valtat) 45 bas, Explorer (Aublant) 42, (G. Boutin) 7 haut, gauche, 83, (C. Cros) 56-57, (Desmarteau) 74, (Duboutin) 91, (J. Dupont) 14-15, 18-19, 28-29, 41, 64, 65, 68, 70 haut, (Errath) 7 bas, gauche, 52, 55 bas, 64-65, (Fiore) 39, (B. Le Bihan) 79, (Luisada) 56, (P. Paillard) 25, (Ph. Roy) 47, 49, (Veiller) 32-33, 53, (Th. Vogel) 6-7, 48, (A. Weiss) 16 haut; M. Holford 95; Loïc-Jahan 35, 66-67, 70 bas; Van Philips, 7, droite, 88, 89, 92-93; Photo Feuillie 7 bas, centre, 10-11, 18 haut, 27, 30, 32, 50-51, 62, 69, 73, 77, 94; Photo Yan (J. Dieuzaide) gardes; J. Topham (Chapman) 16 bas; J. Topham/Fotogram 47, 72, (Aldu) 11, (D. Arnault) 70-71, (E. Berne) 8-9, 82, (B. Carot) 37, (M. Duris) 36-37, (G. Fleury) 34-35, 55 haut, 84, (J. Guilloreau) 60, (F. Leclercq) 85, (Madec) 18 bas, (F. Puyplat) 7 haut, droite, 22-23, (G. Villers) 50. Page 84 : Oeuvre de Rodin. © 1977 by SPADEM